LE GRAND MEAULNES

24/10

£2·50
Ge

ŒUVRES D'ALAIN-FOURNIER

chez les mêmes éditeurs :

LETTRES AU PETIT B...
précédées de LA FIN DE LA JEUNESSE
par CLAUDE AVELINE

LETTRES A SA FAMILLE

A la N. R. F.

MIRACLES
CORRESPONDANCE AVEC JACQUES RIVIÈRE

ALAIN-FOURNIER

Le grand Meaulnes

ÉMILE-PAUL FRÈRES

Henri-Alban Fournier (Alain-Fournier *est un demi-pseudonyme*) *est né le 3 octobre 1886, à La Chapelle-d'Angillon (Cher) Après une enfance passée en Sologne et dans le Bas-Berry, où ses parents sont instituteurs, il commence ses études secondaires à Paris, puis va préparer à Brest le concours d'entrée à l'Ecole Navale, à quoi il renonce bientôt, ayant compris qu'il ne pourrait jamais vivre loin de ces campagnes de son enfance qu'il a passionnément aimées. Il revient faire sa philosophie à Bourges. Puis, ayant choisi la carrière de l'enseignement des Lettres, il poursuit ses études au Lycée Lakanal, à Sceaux, où il se lie de profonde amitié avec Jacques Rivière (qui épousera en 1909 sa jeune sœur Isabelle). Tous deux se lancent à la recherche de la vérité et de la beauté dans tous les arts : peinture, musique et surtout littérature, où ils seront les premiers à découvrir, parmi les jeunes écrivains — alors incompris et moqués — ceux qui deviendront les grands noms de notre époque : Claudel, Péguy, Valéry, etc. En juin 1905, Henri avait rencontré celle qui, sous le nom d'Yvonne de Galais sera l'héroïne du* Grand Meaulnes. *Brève ren-*

contre, unique conversation le long des quais de la Seine, d'où est né en lui, cependant, ce qui sera le grand amour de sa vie. Il ne retrouvera qu'en 1913, après huit ans de recherches et de souffrances, pour une deuxième courte rencontre, « La Belle Jeune Fille », alors mariée et mère de deux enfants.

Ses études ayant été interrompues en 1907 par les deux ans de son service militaire, il ne les avait pas reprises. Il avait tenu alors quelque temps un Courrier littéraire, publié divers poèmes, essais, contes (réunis plus tard sous le titre Miracles), cependant que s'élaborait lentement l'œuvre qui l'a rendu célèbre.

Et c'est quelques mois après la deuxième rencontre — la dernière — que parut Le Grand Meaulnes commencé presque au lendemain de la première, patiemment bâti, remanié, transformé au long de ces huit années, et qui est l'histoire, à peine transposée, de tout ce qu'il avait vécu jusqu'alors, et du grand douloureux amour qui a dominé sa vie.

Un an plus tard, il était tué aux Eparges, le 22 septembre 1914.

Sa sœur Isabelle, à qui est dédié le roman, après la mort de son mari, Jacques Rivière, en 1925, publia l'abondante Correspondance des deux amis; ensuite les Lettres au Petit B. (René Bichet, un gentil camarade de Lakanal)et les Lettres d'Alain-Fournier à sa Famille, puis des souvenirs sur son frère : Images d'Alain-Fournier, etc.

A ma sœur Isabelle

CHAPITRE II

APRÈS QUATRE HEURES

Je n'avais guère été, jusqu'alors, courir dans les rues
avec les gamins du bourg. Une coxalgie, dont j'ai
souffert jusque vers cette année 189..., m'avait rendu
craintif et malheureux. Je me vois encore poursuivant
les écoliers alertes dans les ruelles qui entouraient la
maison, en sautillant misérablement sur une jambe...

Aussi ne me laissait-on guère sortir. Et je me rappelle
que Millie, qui était très fière de moi, me ramena
plus d'une fois à la maison, avec force taloches, pour
m'avoir ainsi rencontré, sautant à cloche-pied, avec
les garnements du village.

L'arrivée d'Augustin Meaulnes, qui coïncida avec ma
guérison, fut le commencement d'une vie nouvelle.

Avant sa venue, lorsque le cours était fini, à quatre
heures, une longue soirée de solitude commençait pour
moi. Mon père transportait le feu du poêle de la classe
dans la cheminée de notre salle à manger; et peu à
peu les derniers gamins attardés abandonnaient l'école
refroidie où roulaient des tourbillons de fumée. Il y
avait encore quelques jeux, des galopades dans la cour;
puis la nuit venait; les deux élèves qui avaient balayé
la classe cherchaient sous le hangar leurs capuchons et
leurs pèlerines, et ils partaient bien vite, leur panier
au bras, en laissant le grand portail ouvert...

Alors, tant qu'il y avait une lueur de jour, je restais

Le hasard des « changements », une décision
d'inspecteur ou de préfet nous avaient conduits là.
Vers la fin des vacances, il y a bien longtemps, une
voiture de paysan, qui précédait notre ménage, nous
avait déposés, ma mère et moi, devant la petite grille
rouillée. Des gamins qui volaient des pêches dans le
jardin s'étaient enfuis silencieusement par les trous de
la haie... Ma mère, que nous appelions Millie, et qui
était bien la ménagère la plus méthodique que j'aie
jamais connue, était entrée aussitôt dans les pièces
remplies de paille poussiéreuse, et tout de suite elle
avait constaté avec désespoir, comme à chaque « dé-
placement », que nos meubles ne tiendraient jamais
dans une maison si mal construite... Elle était sortie
pour me confier sa détresse. Tout en me parlant, elle
avait essuyé doucement avec son mouchoir ma figure
d'enfant noircie par le voyage. Puis elle était rentrée
faire le compte de toutes les ouvertures qu'il allait
falloir condamner pour rendre le logement habitable...
Quant à moi, coiffé d'un grand chapeau de paille à
rubans, j'étais resté là, sur le gravier de cette cour
étrangère, à attendre, à fureter petitement autour du
puits et sous le hangar.

C'est ainsi, du moins, que j'imagine aujourd'hui
notre arrivée. Car aussitôt que je veux retrouver le
lointain souvenir de cette première soirée d'attente
dans notre cour de Sainte-Agathe, déjà ce sont d'autres
attentes que je me rappelle; déjà, les deux mains
appuyées aux barreaux du portail, je me vois épiant
avec anxiété quelqu'un qui va descendre la grand'rue.
Et si j'essaie d'imaginer la première nuit que je dus
passer dans ma mansarde, au milieu des greniers du
premier étage, déjà ce sont d'autres nuits que je me
rappelle; je ne suis plus seul dans cette chambre; une
grande ombre inquiète et amie passe le long des murs
et se promène. Tout ce paysage paisible — l'école, le
champ du père Martin, avec ses trois noyers, le jardin
dès quatre heures envahi chaque jour par des femmes

en visite — est à jamais, dans ma mémoire, agité,
transformé par la présence de celui qui bouleversa
toute notre adolescence et dont la fuite même ne nous
a pas laissé de repos.

Nous étions pourtant depuis dix ans dans ce pays
lorsque Meaulnes arriva.

J'avais quinze ans. C'était un froid dimanche de
novembre, le premier jour d'automne qui fît songer à
l'hiver. Toute la journée, Millie avait attendu une voiture de La Gare qui devait lui apporter un chapeau
pour la mauvaise saison. Le matin, elle avait manqué
la messe; et jusqu'au sermon, assis dans le chœur avec
les autres enfants, j'avais regardé anxieusement du côté
des cloches, pour la voir entrer avec son chapeau neuf.

Après midi, je dus partir seul pour vêpres.

« D'ailleurs, me dit-elle, pour me consoler, en bros-
sant de sa main mon costume d'enfant, même s'il était
arrivé, ce chapeau, il aurait bien fallu, sans doute,
que je passe mon dimanche à le refaire ».

Souvent nos dimanches d'hiver se passaient ainsi. Dès
le matin, mon père s'en allait au loin, sur le bord
de quelque étang couvert de brume, pêcher le brochet
dans une barque; et ma mère, retirée jusqu'à la nuit
dans sa chambre obscure, rafistolait d'humbles toilettes.
Elle s'enfermait ainsi de crainte qu'une dame de ses
amies, aussi pauvre qu'elle mais aussi fière, vînt la surprendre. Et moi, les vêpres finies, j'attendais, en lisant
dans la froide salle à manger, qu'elle ouvrît la porte
pour me montrer comment ça lui allait.

Ce dimanche-là, quelque animation devant l'église
me retint dehors après vêpres. Un baptême, sous le
porche, avait attroupé des gamins. Sur la place, plusieurs hommes du bourg avaient revêtu leurs vareuses
de pompiers; et, les faisceaux formés, transis et battant
la semelle, ils écoutaient Boujardon, le brigadier, s'em-
brouiller dans la théorie...

Le carillon du baptême s'arrêta soudain, comme une

sonnerie de fête qui se serait trompée de jour et d'endroit; Boujardon et ses hommes, l'arme en bandoulière, emmenèrent la pompe au petit trot; et je les vis disparaître au premier tournant, suivis de quatre gamins silencieux, écrasant de leurs grosses semelles les brindilles de la route givrée où je n'osais pas les suivre.

Dans le bourg, il n'y eut plus alors de vivant que le café Daniel, où j'entendais sourdement monter puis s'apaiser les discussions des buveurs. Et, frôlant le mur bas de la grande cour qui isolait notre maison du village, j'arrivai, un peu anxieux de mon retard, à la petite grille.

Elle était entr'ouverte et je vis aussitôt qu'il se passait quelque chose d'insolite.

En effet, à la porte de la salle à manger — la plus rapprochée des cinq portes vitrées qui donnaient sur la cour — une femme aux cheveux gris, penchée, cherchait à voir au travers des rideaux. Elle était petite, coiffée d'une capote de velours noir à l'ancienne mode. Elle avait un visage maigre et fin, mais ravagé par l'inquiétude; et je ne sais quelle appréhension, à sa vue, m'arrêta sur la première marche, devant la grille.

« Où est-il passé ? mon Dieu! disait-elle à mi-voix. Il était avec moi tout à l'heure. Il a déjà fait le tour de la maison. Il s'est peut-être sauvé... »

Et, entre chaque phrase, elle frappait au carreau trois petits coups à peine perceptibles.

Personne ne venait ouvrir à la visiteuse inconnue. Millie, sans doute, avait reçu le chapeau de La Gare, et sans rien entendre, au fond de la chambre rouge, devant un lit semé de vieux rubans et de plumes défrisées, elle cousait, décousait, rebâtissait sa médiocre coiffure... En effet, lorsque j'eus pénétré dans la salle à manger, immédiatement suivi de la visiteuse, ma mère apparut tenant à deux mains sur sa tête des fils de laiton, des rubans et des plumes, qui n'étaient pas encore parfaitement équilibrés... Elle me sourit, de ses

yeux bleus fatigués d'avoir travaillé à la chute du jour,
et s'écria :

« Regarde! Je t'attendais pour te montrer... »

Mais, apercevant cette femme assise dans le grand
fauteuil, au fond de la salle, elle s'arrêta, déconcertée.
Bien vite, elle enleva sa coiffure, et, durant toute la
scène qui suivit, elle la tint contre sa poitrine, renversée comme un nid dans son bras droit replié.

La femme à la capote, qui gardait, entre ses genoux,
un parapluie et un sac de cuir, avait commencé de
s'expliquer, en balançant légèrement la tête et en faisant claquer sa langue comme une femme en visite.
Elle avait repris tout son aplomb. Elle eut même, dès
qu'elle parla de son fils, un air supérieur et mystérieux
qui nous intrigua.

Ils étaient venus tous les deux, en voiture, de La
Ferté-d'Angillon, à quatorze kilomètres de Sainte-
Agathe. Veuve — et fort riche, à ce qu'elle nous fit
comprendre — elle avait perdu le cadet de ses deux
enfants, Antoine, qui était mort un soir au retour de
l'école, pour s'être baigné avec son frère dans un
étang malsain. Elle avait décidé de mettre l'aîné,
Augustin, en pension chez nous pour qu'il pût suivre
le Cours Supérieur.

Et aussitôt elle fit l'éloge de ce pensionnaire qu'elle
nous amenait. Je ne reconnaissais plus la femme aux
cheveux gris, que j'avais vue courbée devant la porte,
une minute auparavant, avec cet air suppliant et
hagard de poule qui aurait perdu l'oiseau sauvage de
sa couvée.

Ce qu'elle contait de son fils avec admiration était
fort surprenant : il aimait à lui faire plaisir, et parfois il suivait le bord de la rivière, jambes nues, pendant des kilomètres, pour lui rapporter des œufs de
poules d'eau, de canards sauvages, perdus dans les
ajoncs... Il tendait aussi des nasses... L'autre nuit, il
avait découvert dans le bois une faisane prise au collet...

Moi qui n'osais plus rentrer à la maison quand j'avais un accroc à ma blouse, je regardais Millie avec étonnement.

Mais ma mère n'écoutait plus. Elle fit même signe à la dame de se taire; et, déposant avec précaution son « nid » sur la table, elle se leva silencieusement comme pour aller surprendre quelqu'un...

Au-dessus de nous, en effet, dans un réduit où s'entassaient les pièces d'artifice noircies du dernier Quatorze Juillet, un pas inconnu, assuré, allait et venait, ébranlant le plafond, traversait les immenses greniers ténébreux du premier étage, et se perdait enfin vers les chambres d'adjoints abandonnées où l'on mettait sécher le tilleul et mûrir les pommes.

« Déjà, tout à l'heure, j'avais entendu ce bruit dans les chambres du bas, dit Millie à mi-voix, et je croyais que c'était toi, François, qui étais rentré... »

Personne ne répondit. Nous étions debout tous les trois, le cœur battant, lorsque la porte des greniers qui donnait sur l'escalier de la cuisine s'ouvrit; quelqu'un descendit les marches, traversa la cuisine, et se présenta dans l'entrée obscure de la salle à manger.

« C'est toi, Augustin ? » dit la dame.

C'était un grand garçon de dix-sept ans environ. Je ne vis d'abord de lui, dans la nuit tombante, que son chapeau de feutre paysan coiffé en arrière et sa blouse noire sanglée d'une ceinture comme en portent les écoliers. Je pus distinguer aussi qu'il souriait...

Il m'aperçut, et, avant que personne eût pu lui demander aucune explication :

« Viens-tu dans la cour ? dit-il.

J'hésitai une seconde. Puis, comme Millie ne me retenait pas, je pris ma casquette et j'allai vers lui. Nous sortîmes par la porte de la cuisine et nous allâmes au préau, que l'obscurité envahissait déjà. A la lueur de la fin du jour, je regardais, en marchant, sa face anguleuse au nez droit, à la lèvre duvetée.

« Tiens, dit-il, j'ai trouvé ça dans ton grenier. Tu n'y avais donc jamais regardé ? »

Il tenait à la main une petite roue en bois noirci; un cordon de fusées déchiquetées courait tout autour; ç'avait dû être le soleil ou la lune au feu d'artifice du Quatorze Juillet.

« Il y en a deux qui ne sont pas parties : nous allons toujours les allumer », dit-il d'un ton tranquille et de l'air de quelqu'un qui espère bien trouver mieux par la suite.

Il jeta son chapeau par terre et je vis qu'il avait les cheveux complètement ras comme un paysan. Il me montra les deux fusées avec leurs bouts de mèche en papier que la flamme avait coupés, noircis, puis abandonnés. Il planta dans le sable le moyeu de la roue, tira de sa poche — à mon grand étonnement, car cela nous était formellement interdit — une boîte d'allumettes. Se baissant avec précaution, il mit le feu à la mèche. Puis, me prenant par la main, il m'entraîna vivement en arrière.

Un instant après, ma mère qui sortait sur le pas de la porte, avec la mère de Meaulnes, après avoir débattu et fixé le prix de pension, vit jaillir sous le préau, avec un bruit de soufflet, deux gerbes d'étoiles rouges et blanches; et elle put m'apercevoir, l'espace d'une seconde, dressé dans la lueur magique, tenant par la main le grand gars nouveau venu et ne bronchant pas...

Cette fois encore, elle n'osa rien dire.

Et le soir, au dîner, il y eut, à la table de famille, un compagnon silencieux, qui mangeait, la tête basse, sans se soucier de nos trois regards fixés sur lui.

PREMIÈRE PARTIE

CHAPITRE PREMIER

Il arriva chez nous un dimanche de novembre 189...

Je continue à dire « chez nous », bien que la maison ne nous appartienne plus. Nous avons quitté le pays depuis bientôt quinze ans et nous n'y reviendrons certainement jamais.

Nous habitions les bâtiments du *Cour Supérieur* de Sainte-Agathe. Mon père, que j'appelais M. Seurel, comme les autres élèves, y dirigeait à la fois le Cours supérieur, où l'on préparait le brevet d'instituteur, et le Cours moyen. Ma mère faisait la petite classe.

Une longue maison rouge, avec cinq portes vitrées, sous des vignes vierges, à l'extrémité du bourg; une cour immense avec préaux et buanderie, qui ouvrait en avant sur le village par un grand portail; sur le côté nord, la route où donnait une petite grille et qui menait vers La Gare, à trois kilomètres; au sud et par derrière, des champs, des jardins et des prés qui rejoignaient les faubourgs... tel est le plan sommaire de cette demeure où s'écoulèrent les jours les plus tourmentés et les plus chers de ma vie — demeure d'où partirent et où revinrent se briser, comme des vagues sur un rocher désert, nos aventures.

au fond de la mairie, enfermé dans le cabinet des archives plein de mouches mortes, d'affiches battant au vent, et je lisais assis sur une vieille bascule, auprès d'une fenêtre qui donnait sur le jardin.

Lorsqu'il faisait noir, que les chiens de la ferme voisine commençaient à hurler et que le carreau de notre petite cuisine s'illuminait, je rentrais enfin. Ma mère avait commencé de préparer le repas. Je montais trois marches de l'escalier du grenier; je m'asseyais sans rien dire et, la tête appuyée aux barreaux froids de la rampe, je la regardais allumer son feu dans l'étroite cuisine où vacillait la flamme d'une bougie.

Mais quelqu'un est venu qui m'a enlevé à tous ces plaisirs d'enfant paisible. Quelqu'un a soufflé la bougie qui éclairait pour moi le doux visage maternel penché sur le repas du soir. Quelqu'un a éteint la lampe autour de laquelle nous étions une famille heureuse, à la nuit, lorsque mon père avait accroché les volets de bois aux portes vitrées. Et celui-là, ce fut Augustin Meaulnes, que les autres élèves appelèrent bientôt le grand Meaulnes.

Dès qu'il fut pensionnaire chez nous, c'est-à-dire dès les premiers jours de décembre, l'école cessa d'être désertée le soir, après quatre heures. Malgré le froid de la porte battante, les cris des balayeurs et leurs seaux d'eau, il y avait toujours, après le cours, dans la classe, une vingtaine de grands élèves, tant de la campagne que du bourg, serrés autour de Meaulnes. Et c'étaient de longues discussions, des disputes interminables, au milieu desquelles je me glissais avec inquiétude et plaisir.

Meaulnes ne disait rien; mais c'était pour lui qu'à chaque instant l'un des plus bavards s'avançait au milieu du groupe, et, prenant à témoin tour à tour chacun de ses compagnons, qui l'approuvaient bruyamment, racontait quelque longue histoire de maraude, que tous les autres suivaient, le bec ouvert, en riant silencieusement.

Assis sur un pupitre, en balançant les jambes, **Meaulnes** réfléchissait. Aux bons moments, il riait aussi, mais
doucement, comme s'il eût réservé ses éclats de rire
pour quelque meilleure histoire, connue de lui seul.
Puis, à la nuit tombante, lorsque la lueur des carreaux
de la classe n'éclairait plus le groupe confus des jeunes
gens, Meaulnes se levait soudain et, traversant le cercle
pressé :

« Allons, en route! » criait-il.

Alors tous le suivaient et l'on entendait leurs cris
jusqu'à la nuit noire, dans le haut du bourg...

Il m'arrivait maintenant de les accompagner. Avec
Meaulnes, j'allais à la porte des écuries des faubourgs,
à l'heure où l'on trait les vaches... Nous entrions dans
les boutiques, et, du fond de l'obscurité, entre deux
craquements de son métier, le tisserand disait :

« Voilà les étudiants! »

Généralement, à l'heure du dîner, nous nous trouvions tout près du *Cours,* chez Desnoues, le charron,
qui était aussi maréchal. Sa boutique était une ancienne
auberge, avec de grandes portes à deux battants qu'on
laissait ouvertes. De la rue on entendait grincer le
soufflet de la forge et l'on apercevait à la lueur du
brasier, dans ce lieu obscur et tintant, parfois des gens
de campagne qui avaient arrêté leur voiture pour
causer un instant, parfois un écolier comme nous,
adossé à une porte, qui regardait sans rien dire.

Et c'est là que tout commença, environ huit jours
avant Noël.

CHAPITRE III

« JE FRÉQUENTAIS LA BOUTIQUE D'UN VANNIER »

La pluie était tombée tout le jour, pour ne cesser qu'au soir. La journée avait été mortellement ennuyeuse. Aux récréations, personne ne sortait. Et l'on entendait mon père, M. Seurel, crier à chaque minute, dans la classe :

« Ne sabotez donc pas comme ça, les gamins ! »

Après la dernière récréation de la journée, ou, comme nous disions, après le dernier « quart d'heure », M. Seurel, qui depuis un instant marchait de long en large pensivement, s'arrêta, frappa un grand coup de règle sur la table, pour faire cesser le bourdonnement confus des fins de classe où l'on s'ennuie, et, dans le silence attentif, demanda :

« Qui est-ce qui ira demain en voiture à La Gare avec François, pour chercher M. et Mme Charpentier ? »

C'étaient mes grands-parents : grand-père Charpentier, l'homme au grand burnous de laine grise, le vieux garde forestier en retraite, avec son bonnet de poil de lapin qu'il appelait son képi... Les petits gamins le connaissaient bien. Les matins, pour se débarbouiller, il tirait un seau d'eau, dans lequel il barbotait, à la façon des vieux soldats, en se frottant vaguement la barbiche. Un cercle d'enfants, les mains derrière le dos, l'observaient avec une curiosité respectueuse... Et ils connaissaient aussi grand'mère Charpentier, la petite paysanne, avec sa capote tricotée, parce que Millie l'amenait, au moins une fois, dans la classe des plus petits.

Tous les ans, nous allions les chercher, quelques jours avant Noël, à La Gare, au train de 4 h 2. Ils avaient, pour nous voir, traversé tout le département, chargés de ballots de châtaignes et de victuailles pour Noël enveloppées dans des serviettes. Dès qu'ils avaient passé, tous les deux, emmitouflés, souriants et un peu interdits, le seuil de la maison, nous fermions sur eux toutes les portes, et c'était une grande semaine de plaisir qui commençait...

Il fallait, pour conduire avec moi la voiture qui devait les ramener, il fallait quelqu'un de sérieux qui ne nous versât pas dans un fossé, et d'assez débonnaire aussi, car le grand-père Charpentier jurait facilement et la grand'mère était un peu bavarde.

A la question de M. Seurel, une dizaine de voix répondirent, criant ensemble :

« Le grand Meaulnes! le grand Meaulnes! »

Mais M. Seurel fit semblant de ne pas entendre.

Alors ils crièrent :

« Fromentin! »

D'autres :

« Jasmin Delouche! »

Le plus jeune des Roy, qui allait aux champs monté sur sa truie lancée au triple galop, criait : « Moi! Moi! », d'une voix perçante.

Dutremblay et Mouchebœuf se contentaient de lever timidement la main.

J'aurais voulu que ce fût Meaulnes. Ce petit voyage en voiture à âne serait devenu un événement plus important. Il le désirait aussi, mais il affectait de se taire dédaigneusement. Tous les grands élèves s'étaient assis comme lui sur la table, à revers, les pieds sur le banc, ainsi que nous faisions dans les moments de grand répit et de réjouissance. Coffin, sa blouse relevée et

roulée autour de la ceinture, embrassait la colonne de
fer qui soutenait la poutre de la classe et commençait
de grimper en signe d'allégresse. Mais M. Seurel re-
froidit tout le monde en disant :

« Allons ! Ce sera Mouchebœuf ».

Et chacun regagna sa place en silence.

A quatre heures, dans la grande cour glacée, ravinée
par la pluie, je me trouvai seul avec Meaulnes. Tous
deux, sans rien dire, nous regardions le bourg luisant
que séchait la bourrasque. Bientôt, le petit Coffin, en
capuchon, un morceau de pain à la main, sortit de chez
lui et, rasant les murs, se présenta en sifflant à la porte
du charron. Meaulnes ouvrit le portail, le héla et, tous
les trois, un instant après, nous étions installés au fond
de la boutique rouge et chaude, brusquement traversée
par de glacials coups de vent : Coffin et moi, assis auprès de la forge, nos pieds boueux dans les copeaux
blancs; Meaulnes, les mains aux poches, silencieux,
adossé au battant de la porte d'entrée. De temps à
autre, dans la rue, passait une dame du village, la tête
baissée à cause du vent, qui revenait de chez le boucher,
et nous levions le nez pour regarder qui c'était.

Personne ne disait rien. Le maréchal et son ouvrier,
l'un soufflant la forge, l'autre battant le fer, jetaient
sur le mur de grandes ombres brusques... Je me rappelle ce soir-là comme un des grands soirs de mon adolescence. C'était en moi un mélange de plaisir et
d'anxiété : je craignais que mon compagnon ne m'en-
levât cette pauvre joie d'aller à La Gare en voiture;
et pourtant j'attendais de lui, sans oser me l'avouer,
quelque entreprise extraordinaire qui vînt tout bou-
leverser.

De temps à autre, le travail paisible et régulier de
la boutique s'interrompait pour un instant. Le maréchal laissait à petits coups pesants et clairs retomber
son marteau sur l'enclume. Il regardait, en l'approchant
de son tablier de cuir, le morceau de fer qu'il avait

travaillé. Et, redressant la tête, il nous disait, histoire
de souffler un peu :

« Eh bien, ça va, la jeunesse ? »

L'ouvrier restait la main en l'air à la chaîne du
soufflet, mettait son poing gauche sur la hanche et nous
regardait en riant.

Puis le travail sourd et bruyant reprenait.

Durant une de ces pauses, on aperçut, par la porte
battante, Millie dans le grand vent, serrée dans un
fichu, qui passait chargée de petits paquets.

Le maréchal demanda :

« C'est-il que M. Charpentier va bientôt venir ?

— Demain, répondis-je, avec ma grand'mère, j'irai
les chercher en voiture au train de 4 h 2.

— Dans la voiture à Fromentin, peut-être ? »

Je répondis bien vite :

« Non, dans celle du père Martin.

— Oh ! alors, vous n'êtes pas revenus ».

Et tous les deux, son ouvrier et lui, se prirent à
rire.

L'ouvrier fit remarquer, lentement, pour dire quelque
chose :

« Avec la jument de Fromentin on aurait pu aller
les chercher à Vierzon. Il y a une heure d'arrêt. C'est
à quinze kilomètres. On aurait été de retour avant
même que l'âne à Martin fût attelé.

— Ça, dit l'autre, c'est une jument qui marche !...

— Et je crois bien que Fromentin la prêterait facilement ».

La conversation finit là. De nouveau la boutique
fut un endroit plein d'étincelles et de bruit, où chacun
ne pensa que pour soi.

Mais lorsque l'heure fut venue de partir et que je
me levai pour faire signe au grand Meaulnes, il ne
m'aperçut pas d'abord. Adossé à la porte et la tête
penchée, il semblait profondément absorbé par ce qui
venait d'être dit. En le voyant ainsi, perdu dans ses
réflexions, regardant, comme à travers des lieues de

Mystery.

brouillard, ces gens paisibles qui travaillaient, je pensai soudain à cette image de *Robinson Crusoé*, où l'on voit l'adolescent anglais, avant son grand départ, « fréquentant la boutique d'un vannier »...

Et j'y ai souvent repensé depuis.

CHAPITRE IV

L'ÉVASION

A une heure de l'après-midi, le lendemain, la classe du Cours supérieur est claire, au milieu du paysage gelé, comme une barque sur l'Océan. On n'y sent pas la saumure ni le cambouis, comme sur un bateau de pêche, mais les harengs grillés sur le poêle et la laine roussie de ceux qui, en rentrant, se sont chauffés de trop près.

On a distribué, car la fin de l'année approche, les cahiers de compositions. Et, pendant que M. Seurel écrit au tableau l'énoncé des problèmes, un silence imparfait s'établit, mêlé de conversations à voix basse, coupé de petits cris étouffés et de phrases dont on ne dit que les premiers mots pour effrayer son voisin :

« Monsieur ! Un tel me... »

M. Seurel, en copiant ses problèmes, pense à autre chose. Il se retourne de temps à autre, en regardant tout le monde d'un air à la fois sévère et absent. Et ce remue-ménage sournois cesse complètement, une seconde, pour reprendre ensuite, tout doucement d'abord, comme un ronronnement.

Seul, au milieu de cette agitation, je me tais. Assis au bout d'une des tables de la division des plus jeunes, près des grandes vitres, je n'ai qu'à me redresser un peu

pour apercevoir le jardin, le ruisseau dans le bas, puis
les champs.

De temps à autre, je me soulève sur la pointe des
pieds et je regarde anxieusement du côté de la ferme
de la Belle-Etoile. Dès le début de la classe, je me suis
aperçu que Meaulnes n'était pas rentré après la récréation de midi. Son voisin de table a bien dû s'en apercevoir aussi. Il n'a rien dit encore, préoccupé par sa
composition. Mais, dès qu'il aura levé la tête, la nouvelle courra par toute la classe, et quelqu'un, comme
c'est l'usage, ne manquera pas de crier à haute voix
les premiers mots de la phrase :

« Monsieur ! Meaulnes... »

Je sais que Meaulnes est parti. Plus exactement, je
le soupçonne de s'être échappé. Sitôt le déjeuner terminé, il a dû sauter le petit mur et filer à travers
champs, en passant le ruisseau à la Vieille-Planche,
jusqu'à la Belle-Etoile. Il aura demandé la jument
pour aller chercher M. et Mme Charpentier. Il fait
atteler en ce moment.

La Belle-Etoile est, là-bas, de l'autre côté du ruisseau,
sur le versant de la côte, une grande ferme, que les
ormes, les chênes de la cour et les haies vives cachent
en été. Elle est placée sur un petit chemin qui rejoint
d'un côté la route de La Gare, de l'autre un faubourg
du pays. Entourée de hauts murs soutenus par des
contreforts dont le pied baigne dans le fumier, la
grande bâtisse féodale est au mois de juin enfouie sous
les feuilles, et, de l'école, on entend seulement, à la
tombée de la nuit, le roulement des charrois et les cris
des vachers. Mais aujourd'hui, j'aperçois par la vitre,
entre les arbres dépouillés, le haut mur grisâtre de la
cour, la porte d'entrée, puis, entre des tronçons de haie,
une bande du chemin blanchi de givre, parallèle au
ruisseau, qui mène à la route de La Gare.

Rien ne bouge encore dans ce clair paysage d'hiver.
Rien n'est changé encore.

Ici, M. Seurel achève de copier le deuxième pro-

blème. Il en donne trois d'habitude. Si aujourd'hui,
par hasard, il n'en donnait que deux... Il remonterait
aussitôt dans sa chaire et s'apercevrait de l'absence
de Meaulnes. Il enverrait pour le chercher à travers le bourg deux gamins qui parviendraient certainement à le découvrir avant que la jument ne soit
attelée...

M. Seurel, le deuxième problème copié, laisse un
instant retomber son bras fatigué... Puis, à mon grand
soulagement, il va à la ligne et recommence à écrire en
disant :

« Ceci, maintenant, n'est plus qu'un jeu d'enfant! »

... Deux petits traits noirs, qui dépassaient le mur de
la Belle-Etoile et qui devaient être les deux brancards
dressés d'une voiture, ont disparu. Je suis sûr maintenant qu'on fait là-bas les préparatifs du départ de
Meaulnes. Voici la jument qui passe la tête et le poi-
trail entre les deux pilastres de l'entrée, puis s'arrête,
tandis qu'on fixe sans doute, à l'arrière de la voiture un
second siège pour les voyageurs que Meaulnes prétend
ramener. Enfin tout l'équipage sort lentement de la
cour, disparaît un instant derrière la haie, et repasse
avec la même lenteur sur le bout de chemin blanc
qu'on aperçoit entre deux tronçons de la clôture. Je
reconnais alors, dans cette forme noire qui tient les
guides, un coude nonchalamment appuyé sur le côté de
la voiture, à la façon paysanne, mon compagnon Augustin Meaulnes.

Un instant encore tout disparaît derrière la haie.
Deux hommes qui sont restés au portail de la Belle-
Etoile, à regarder partir la voiture, se concertent maintenant avec une animation croissante. L'un d'eux se
décide enfin à mettre sa main en porte-voix près de sa
bouche et à appeler Meaulnes, puis à courir quelques
pas, dans sa direction, sur le chemin... Mais alors, dans
la voiture qui est lentement arrivée sur la route de
La Gare et que du petit chemin on ne doit plus apercevoir, Meaulnes change soudain d'attitude. Un pied

sur le devant, dressé comme un conducteur de char
romain, secouant à deux mains les guides, il lance
sa bête à fond de train et disparaît en un instant
de l'autre côté de la montée. Sur le chemin, l'homme
qui appelait s'est repris à courir; l'autre s'est
lancé au galop à travers champs et semble venir vers
nous.

En quelques minutes, et au moment même où
M. Seurel, quittant le tableau, se frotte les mains pour
en enlever la craie, au moment où trois voix à la fois
crient du fond de la classe :

« Monsieur ! Le grand Meaulnes est parti ! »

l'homme en blouse bleue est à la porte, qu'il ouvre
soudain toute grande, et, levant son chapeau, il demande sur le seuil :

« Excusez-moi, monsieur, c'est-il vous qui avez auto-
risé cet élève à demander la voiture pour aller à Vierzon chercher vos parents ? Il nous est venu des soup-
çons...

— Mais pas du tout ! » répond M. Seurel.

Et aussitôt c'est dans la classe un désarroi effroyable.
Les trois premiers, près de la sortie, ordinairement
chargés de pourchasser à coups de pierres les chèvres
ou les porcs qui viennent brouter dans la cour les
corbeilles d'argent, se sont précipités à la porte. Au
violent piétinement de leurs sabots ferrés sur les dalles
de l'école a succédé, dehors, le bruit étouffé de leurs
pas précipités qui mâchent le sable de la cour et dé-
rapent au virage de la petite grille ouverte sur la route.
Tout le reste de la classe s'entasse aux fenêtres du
jardin. Certains ont grimpé sur les tables pour mieux
voir...

Mais il est trop tard. Le grand Meaulnes s'est
évadé.

« Tu iras tout de même à La Gare avec Mouchebœuf, me dit M. Seurel. Meaulnes ne connaît pas le
chemin de Vierzon. Il se perdra aux carrefours. Il ne
sera pas au train pour trois heures ».

Sur le seuil de la petite classe, Millie tend le cou pour demander :

« Mais qu'y a-t-il donc ? »

Dans la rue du bourg, les gens commencent à s'attrouper. Le paysan est toujours là, immobile, entêté, son chapeau à la main, comme quelqu'un qui demande justice.

CHAPITRE V

LA VOITURE QUI REVIENT

Lorsque j'eus ramené de La Gare les grands-parents, lorsqu'après le dîner, assis devant la haute cheminée, ils commencèrent à raconter par le menu détail tout ce qui leur était arrivé depuis les dernières vacances, je m'aperçus bientôt que je ne les écoutais pas.

La petite grille de la cour était tout près de la porte de la salle à manger. Elle grinçait en s'ouvrant. D'ordinaire, au début de la nuit, pendant nos veillées de campagne, j'attendais secrètement ce grincement de la grille. Il était suivi d'un bruit de sabots claquant ou s'essuyant sur le seuil, parfois d'un chuchotement comme de personnes qui se concertent avant d'entrer. Et l'on frappait. C'était un voisin, les institutrices, quelqu'un enfin qui venait nous distraire de la longue veillée.

Or, ce soir-là, je n'avais plus rien à espérer du dehors, puisque tous ceux que j'aimais étaient réunis dans notre maison; et pourtant je ne cessais d'épier tous les bruits de la nuit et d'attendre qu'on ouvrît notre porte.

Le vieux grand-père, avec son air broussailleux de grand berger gascon, ses deux pieds lourdement posés devant lui, son bâton entre les jambes, inclinant l'épaule pour cogner sa pipe contre son soulier, était là. Il approuvait de ses yeux mouillés et bons ce que disait

la grand'mère, de son voyage et de ses poules et de
ses voisins et des paysans qui n'avaient pas encore payé
leur fermage. Mais je n'étais plus avec eux.

J'imaginais le roulement de voiture qui s'arrêterait
soudain devant la porte. Meaulnes sauterait de la carriole et entrerait comme si rien ne s'était passé... Ou
peut-être irait-il d'abord reconduire la jument à la
Belle-Etoile; et j'entendrais bientôt son pas sonner sur
la route et la grille s'ouvrir...

Mais rien. Le grand-père regardait fixement devant
lui et ses paupières en battant s'arrêtaient longuement
sur ses yeux comme à l'approche du sommeil. La grand'
mère répétait avec embarras sa dernière phrase, que
personne n'écoutait.

« C'est de ce garçon que vous êtes en peine ? » dit-
elle enfin.

A La Gare, en effet, je l'avais questionnée vainement.
Elle n'avait vu personne, à l'arrêt de Vierzon, qui ressemblât au grand Meaulnes. Mon compagnon avait dû
s'attarder en chemin. Sa tentative était manquée. Pendant le retour, en voiture, j'avais ruminé ma déception,
tandis que ma grand'mère causait avec Moucheboeuf.
Sur la route blanchie de givre, les petits oiseaux tour-
billonnaient autour des pieds de l'âne trottinant. De
temps à autre, sur le grand calme de l'après-midi gelé,
montait l'appel lointain d'une bergère ou d'un gamin
hélant son compagnon d'un bosquet de sapins à l'autre.
Et chaque fois, ce long cri sur les coteaux déserts me
faisait tressaillir, comme si c'eût été la voix de Meaulnes
me conviant à le suivre au loin...

Tandis que je repassais tout cela dans mon esprit,
l'heure arriva de se coucher. Déjà le grand-père était
entré dans la chambre rouge, la chambre-salon, tout
humide et glacée d'être close depuis l'autre hiver. On
avait enlevé, pour qu'il s'y installât, les têtières en dentelle des fauteuils, relevé les tapis et mis de côté les
objets fragiles. Il avait posé son bâton sur une chaise.

ses gros souliers sous un fauteuil; il venait de souffler sa bougie, et nous étions debout, nous disant bonsoir, prêts à nous séparer pour la nuit, lorsqu'un bruit de voitures nous fit taire.

On eût dit deux équipages se suivant lentement au très petit trot. Cela ralentit le pas et finalement vint s'arrêter sous la fenêtre de la salle à manger qui donnait sur la route, mais qui était condamnée.

Mon père avait pris la lampe et, sans attendre, il ouvrait la porte qu'on avait déjà fermée à clef. Puis, poussant la grille, s'avançant sur le bord des marches, il leva la lumière au-dessus de sa tête pour voir ce qui se passait.

C'étaient bien deux voitures arrêtées, le cheval de l'une attaché derrière l'autre. Un homme avait sauté à terre et hésitait...

« C'est ici la mairie? dit-il en s'approchant. Pourriez-vous m'indiquer M. Fromentin, métayer à la Belle-Etoile? J'ai trouvé sa voiture et sa jument qui s'en allaient sans conducteur, le long d'un chemin près de la route de Saint-Loup-des-Bois. Avec mon falot, j'ai pu voir son nom et son adresse sur la plaque. Comme c'était sur mon chemin, j'ai ramené son attelage par ici, afin d'éviter des accidents, mais ça m'a rudement retardé quand même ».

Nous étions là, stupéfaits. Mon père s'approcha. Il éclaira la carriole avec sa lampe.

« Il n'y a aucune trace de voyageur, poursuivit l'homme. Pas même une couverture. La bête est fatiguée; elle boitille un peu ».

Je m'étais approché jusqu'au premier rang et je regardais avec les autres cet attelage perdu qui nous revenait, telle une épave qu'eût ramenée la haute mer — la première épave et la dernière, peut-être, de l'aventure de Meaulnes.

« Si c'est trop loin, chez Fromentin, dit l'homme, je vais vous laisser la voiture. J'ai déjà perdu beaucoup de temps et l'on doit s'inquiéter, chez moi ».

Mon père accepta. De cette façon nous pourrions dès ce soir reconduire l'attelage à la Belle-Etoile sans dire ce qui s'était passé. Ensuite, on déciderait de ce qu'il faudrait raconter aux gens du pays et écrire à la mère de Meaulnes... Et l'homme fouetta sa bête, en refusant le verre de vin que nous lui offrions.

Du fond de sa chambre où il avait rallumé la bougie, tandis que nous rentrions sans rien dire et que mon père conduisait la voiture à la ferme, mon grand-père appelait :

« Alors ? Est-il rentré, ce voyageur ? »

Les femmes se concertèrent du regard, une seconde :

« Mais oui, il a été chez sa mère. Allons, dors. Ne t'inquiète pas!

— Eh bien, tant mieux. C'est bien ce que je pensais », dit-il.

Et, satisfait, il éteignit sa lumière et se tourna dans son lit pour dormir.

Ce fut la même explication que nous donnâmes aux gens du bourg. Quant à la mère du fugitif, il fut décidé qu'on attendrait pour lui écrire. Et nous gardâmes pour nous seuls notre inquiétude qui dura trois grands jours. Je vois encore mon père rentrant de la ferme vers onze heures, sa moustache mouillée par la nuit, discutant avec Millie d'une voix très basse, angoissée et colère...

CHAPITRE VI

ON FRAPPE AU CARREAU

LE quatrième jour fut un des plus froids de cet
hiver-là. De grand matin, les premiers arrivés dans la
cour se réchauffaient en glissant autour du puits. Ils
attendaient que le poêle fût allumé dans l'école pour
s'y précipiter.

Derrière le portail, nous étions plusieurs à guetter
la venue des gars de la campagne. Ils arrivaient tout
éblouis encore d'avoir traversé des paysages de givre,
d'avoir vu les étangs glacés, les taillis où les lièvres
détalent... Il y avait dans leurs blouses un goût de foin
et d'écurie qui alourdissait l'air de la classe, quand ils
se pressaient autour du poêle rouge. Et, ce matin-là,
l'un d'eux avait apporté dans un panier un écureuil
gelé qu'il avait découvert en route. Il essayait, je me
souviens, d'accrocher par ses griffes, au poteau du préau,
la longue bête raidie...

Puis la pesante classe d'hiver commença...

Un coup brusque au carreau nous fit lever la tête.
Dressé contre la porte, nous aperçûmes le grand Meaulnes secouant avant d'entrer le givre de sa blouse, la
tête haute et comme ébloui!

Les deux élèves du banc le plus rapproché de la
porte se précipitèrent pour l'ouvrir : il y eut à l'entrée
comme un vague conciliabule, que nous n'entendîmes

pas, et le fugitif se décida enfin à pénétrer dans l'école.

Cette bouffée d'air frais venue de la cour déserte, les brindilles de paille qu'on voyait accrochées aux habits du grand Meaulnes, et surtout son air de voyageur fatigué, affamé, mais émerveillé, tout cela fit passer en nous un étrange sentiment de plaisir et de curiosité.

M. Seurel était descendu du petit bureau à deux marches où il était en train de nous faire la dictée, et Meaulnes marchait vers lui d'un air agressif. Je me rappelle combien je le trouvai beau, à cet instant, le grand compagnon, malgré son air épuisé et ses yeux rougis par les nuits passées au dehors, sans doute.

Il s'avança jusqu'à la chaire et dit, du ton très assuré de quelqu'un qui rapporte un renseignement :

« Je suis rentré, monsieur.

— Je le vois bien, répondit M. Seurel, en le considérant avec curiosité... Allez vous asseoir à votre place ».

Le gars se retourna vers nous, le dos un peu courbé, souriant d'un air moqueur, comme font les grands élèves indisciplinés lorsqu'ils sont punis, et, saisissant d'une main le bout de la table, il se laissa glisser sur son banc.

« Vous allez prendre un livre que je vais vous indiquer, dit le maître — toutes les têtes étaient alors tournées vers Meaulnes — pendant que vos camarades finiront la dictée ».

Et la classe reprit comme auparavant. De temps à autre le grand Meaulnes se tournait de mon côté, puis il regardait par les fenêtres, d'où l'on apercevait le jardin blanc, cotonneux, immobile, et les champs déserts, où parfois descendait un corbeau. Dans la classe, la chaleur était lourde, auprès du poêle rougi. Mon camarade, la tête dans les mains, s'accouda pour lire : à deux reprises je vis ses paupières se fermer et je crus qu'il allait s'endormir.

« Je voudrais aller me coucher, monsieur, dit-il

enfin, en levant le bras à demi. Voici trois nuits que je ne dors pas.

— Allez ! » dit M. Seurel, désireux surtout d'éviter un incident.

Toutes les têtes levées, toutes les plumes en l'air, à regret nous le regardâmes partir, avec sa blouse fripée dans le dos et ses souliers terreux.

Que la matinée fut lente à traverser! Aux approches de midi, nous entendîmes là-haut, dans la mansarde, le voyageur s'apprêter pour descendre. Au déjeuner, je le retrouvai assis devant le feu, près des grands-parents interdits, pendant qu'aux douze coups de l'horloge, les grands élèves et les gamins éparpillés dans la cour neigeuse filaient comme des ombres devant la porte de la salle à manger.

De ce déjeuner je ne me rappelle qu'un grand silence et une grande gêne. Tout était glacé : la toile cirée sans nappe, le vin froid dans les verres, le carreau rougi sur lequel nous posions les pieds... On avait décidé, pour ne pas le pousser à la révolte, de ne rien demander au fugitif. Et il profita de cette trêve pour ne pas dire un mot.

Enfin, le dessert terminé, nous pûmes tous les deux bondir dans la cour. Cour d'école, après midi, où les sabots avaient enlevé la neige... cour noircie où le dégel faisait dégoutter les toits du préau... cour pleine de jeux et de cris perçants ! Meaulnes et moi, nous longeâmes en courant les bâtiments. Déjà deux ou trois de nos amis du bourg laissaient la partie et accouraient vers nous en criant de joie, faisant gicler la boue sous leurs sabots, les mains aux poches, le cache-nez déroulé. Mais mon compagnon se précipita dans la grande classe, où je le suivis, et referma la porte vitrée juste à temps pour supporter l'assaut de ceux qui nous poursuivaient. Il y eut un fracas clair et violent de vitres secouées, de sabots claquant sur le seuil; une poussée qui fit plier la tige de fer maintenant les deux battants de la porte; mais déjà Meaulnes, au risque de se blesser à son anneau brisé, avait tourné la petite clef qui fermait la serrure.

Nous avions accoutumé de juger très vexante une pareille conduite. En été, ceux qu'on laissait ainsi à la porte couraient au galop dans le jardin et parvenaient souvent à grimper par une fenêtre avant qu'on eût pu les fermer toutes. Mais nous étions en décembre et tout était clos. Un instant on fit au dehors des pesées sur la porte; on nous cria des injures; puis, un à un, ils tournèrent le dos et s'en allèrent, la tête basse, en rajustant leurs cache-nez.

Dans la classe qui sentait les châtaignes et la piquette, il n'y avait que deux balayeurs, qui déplaçaient les tables. Je m'approchai du poêle pour m'y chauffer paresseusement en attendant la rentrée, tandis qu'Augustin Meaulnes cherchait dans le bureau du maître et dans les pupitres. Il découvrit bientôt un petit atlas, qu'il se mit à étudier avec passion, debout sur l'estrade, les coudes sur le bureau, la tête entre les mains.

Je me disposais à aller près de lui; je lui aurais mis la main sur l'épaule et nous aurions sans doute suivi ensemble sur la carte le trajet qu'il avait fait, lorsque soudain la porte de communication avec la petite classe s'ouvrit toute battante sous une violente poussée, et Jasmin Delouche, suivi d'un gars du bourg et de trois autres de la campagne, surgit avec un cri de triomphe. Une des fenêtres de la petite classe était sans doute mal fermée : ils avaient dû la pousser et sauter par là.

Jasmin Delouche, encore qu'assez petit, était l'un des plus âgés du Cours Supérieur. Il était fort jaloux du grand Meaulnes, bien qu'il se donnât comme son ami. Avant l'arrivée de notre pensionnaire, c'était lui, Jasmin, le coq de la classe. Il avait une figure pâle, assez fade, et les cheveux pommadés. Fils unique de la veuve Delouche, aubergiste, il faisait l'homme; il répétait avec vanité ce qu'il entendait dire aux joueurs de billard, aux buveurs de vermouth.

A son entrée, Meaulnes leva la tête et, les sourcils

froncés, cria aux gars qui se précipitaient sur le poêle, en se bousculant :

« On ne peut donc pas être tranquille une minute, ici !

— Si tu n'es pas content, il fallait rester où tu étais », répondit, sans lever la tête, Jasmin Delouche qui se sentait appuyé par ses compagnons.

Je pense qu'Augustin était dans cet état de fatigue où la colère monte et vous surprend sans qu'on puisse la contenir.

« Toi, dit-il, en se redressant et en fermant son livre, un peu pâle, tu vas commencer par sortir d'ici ! »

L'autre ricana :

« Oh! cria-t-il. Parce que tu es resté trois jours échappé, tu crois que tu vas être le maître maintenant ? »

Et, associant les autres à sa querelle :

« Ce n'est pas toi qui nous feras sortir, tu sais ! »

Mais déjà Meaulnes était sur lui. Il y eut d'abord une bousculade; les manches des blouses craquèrent et se décousirent. Seul, Martin, un des gars de la campagne entrés avec Jasmin, s'interposa :

« Tu vas le laisser ! » dit-il, les narines gonflées, secouant la tête comme un bélier.

D'une poussée violente, Meaulnes le jeta, titubant, les bras ouverts, au milieu de la classe; puis, saisissant d'une main Delouche par le cou, de l'autre ouvrant la porte, il tenta de le jeter dehors. Jasmin s'agrippait aux tables et traînait les pieds sur les dalles, faisant crisser ses souliers ferrés, tandis que Martin, ayant repris son équilibre, revenait à pas comptés, la tête en avant, furieux. Meaulnes lâcha Delouche pour se colleter avec cet imbécile, et il allait peut-être se trouver en mauvaise posture, lorsque la porte des appartements s'ouvrit à demi. M. Seurel parut, la tête tournée vers la cuisine, terminant, avant d'entrer, une conversation avec quelqu'un...

Aussitôt la bataille s'arrêta. Les uns se rangèrent

autour du poêle, la tête basse, ayant évité jusqu'au bout de prendre parti. Meaulnes s'assit à sa place, le haut de ses manches décousu et défroncé. Quant à Jasmin, tout congestionné, on l'entendit crier durant les quelques secondes qui précédèrent le coup de règle du début de la classe :

« Il ne peut plus rien supporter maintenant. Il fait le malin. Il s'imagine peut-être qu'on ne sait pas où il a été !

— Imbécile ! Je ne le sais pas moi-même », répondit Meaulnes, dans le silence déjà grand.

Puis, haussant les épaules, la tête dans les mains, il se mit à apprendre ses leçons.

CHAPITRE VII

LE GILET DE SOIE

Notre chambre était, comme je l'ai dit, une grande mansarde. A moitié mansarde, à moitié chambre. Il y avait des fenêtres aux autres logis d'adjoints; on ne sait pourquoi celui-ci était éclairé par une lucarne. Il était impossible de fermer complètement la porte, qui frottait sur le plancher. Lorsque nous y montions, le soir, abritant de la main notre bougie que menaçaient tous les courants d'air de la grande demeure, chaque fois nous essayions de fermer cette porte, chaque fois nous étions obligés d'y renoncer. Et, toute la nuit, nous sentions autour de nous, pénétrant jusque dans notre chambre, le silence des trois greniers.

C'est là que nous nous retrouvâmes, Augustin et moi, le soir de ce même jour d'hiver.

Tandis qu'en un tour de main j'avais quitté tous mes vêtements et les avais jetés en tas sur une chaise au chevet de mon lit, mon compagnon, sans rien dire, commençait lentement à se déshabiller. Du lit de fer aux rideaux de cretonne décorés de pampres, où j'étais monté déjà, je le regardais faire. Tantôt il s'asseyait sur son lit bas et sans rideaux. Tantôt il se levait et marchait de long en large, tout en se dévêtant. La bougie, qu'il avait posée sur une petite table d'osier tressée par des bohémiens, jetait sur le mur son ombre errante et gigantesque.

Tout au contraire de moi, il pliait et rangeait, d'un air distrait et amer, mais avec soin, ses habits d'écolier. Je le revois plaquant sur une chaise sa lourde ceinture; pliant sur le dossier sa blouse noire extraordinairement fripée et salie; retirant une espèce de paletot gros bleu qu'il avait sous sa blouse, et se penchant en me tournant le dos, pour l'étaler sur le pied de son lit... Mais lorsqu'il se redressa et se retourna vers moi, je vis qu'il portait, au lieu du petit gilet à boutons de cuivre, qui était d'uniforme sous le paletot, un étrange gilet de soie, très ouvert, que fermait dans le bas un rang serré de petits boutons de nacre.

C'était un vêtement d'une fantaisie charmante, comme devaient en porter les jeunes gens qui dansaient avec nos grand'mères, dans les bals de mil huit cent trente.

Je me rappelle, en cet instant, le grand écolier paysan, nu-tête, car il avait soigneusement posé sa casquette sur ses autres habits — visage si jeune, si vaillant et si durci déjà. Il avait repris sa marche à travers la chambre lorsqu'il se mit à déboutonner cette pièce mystérieuse d'un costume qui n'était pas le sien. Et il était étrange de le voir, en bras de chemise, avec son pantalon trop court, ses souliers boueux, mettant la main sur ce gilet de marquis.

Dès qu'il l'eut touché, sortant brusquement de sa rêverie, il tourna la tête vers moi et me regarda d'un œil inquiet. J'avais un peu envie de rire. Il sourit en même temps que moi et son visage s'éclaira.

« Oh ! dis-moi ce que c'est, fis-je, enhardi, à voix basse. Où l'as-tu pris ? »

Mais son sourire s'éteignit aussitôt. Il passa deux fois sur ses cheveux ras sa main lourde, et tout soudain, comme quelqu'un qui ne peut plus résister à son désir, il réendossa sur le fin jabot sa vareuse qu'il boutonna solidement et sa blouse fripée; puis il hésita un instant, en me regardant de côté... Finalement, il s'assit sur le bord de son lit, quitta ses souliers qui tombèrent bruyamment sur le plancher; et, tout habillé comme un soldat au cantonnement d'alerte, il s'étendit sur son lit et souffla la bougie.

Vers le milieu de la nuit je m'éveillai soudain. Meaulnes était au milieu de la chambre, debout, sa casquette sur la tête, et il cherchait au portemanteau quelque chose — une pèlerine qu'il se mit sur le dos... La chambre était très obscure. Pas même la clarté que donne parfois le reflet de la neige. Un vent noir et glacé soufflait dans le jardin mort et sur le toit.

Je me dressai un peu et je lui criai tout bas :

« Meaulnes ! tu repars ? »

Il ne répondit pas. Alors, tout à fait affolé, je dis :

« Eh bien, je pars avec toi. Il faut que tu m'emmènes ».

Et je sautai à bas.

Il s'approcha, me saisit par le bras, me forçant à m'asseoir sur le rebord du lit, et il me dit :

« Je ne puis pas t'emmener, François. Si je connaissais bien mon chemin, tu m'accompagnerais. Mais il faut d'abord que je le retrouve sur le plan, et je n'y parviens pas.

— Alors, tu ne peux pas repartir non plus ?

— C'est vrai, c'est bien inutile... fit-il avec découragement. Allons, recouche-toi. Je te promets de ne pas repartir sans toi ».

Et il reprit sa promenade de long en large dans la chambre. Je n'osais plus rien lui dire. Il marchait, s'arrêtait, repartait plus vite, comme quelqu'un qui, dans sa tête, recherche ou repasse des souvenirs, les confronte, les compare, calcule, et soudain pense avoir trouvé; puis de nouveau lâche le fil et recommence à chercher...

Ce ne fut pas la seule nuit où, réveillé par le bruit de ses pas, je le trouvai ainsi, vers une heure du matin, déambulant à travers la chambre et les greniers — comme ces marins qui n'ont pu se déshabituer de faire le quart et qui, au fond de leurs propriétés bretonnes, se lèvent et s'habillent à l'heure réglementaire pour surveiller la nuit terrienne.

A deux ou trois reprises, durant le mois de janvier et la première quinzaine de février, je fus ainsi tiré de mon sommeil. Le grand Meaulnes était là, dressé, tout équipé, sa pèlerine sur le dos, prêt à partir, et chaque fois, au bord de ce pays mystérieux, où une fois déjà il s'était évadé, il s'arrêtait, hésitait. Au moment de lever le loquet de la porte de l'escalier et de filer par la porte de la cuisine qu'il eût facilement ouverte sans que personne l'entendît, il reculait une fois encore... Puis, durant les longues heures du milieu de la nuit, fiévreusement, il arpentait, en réfléchissant, les greniers abandonnés.

Enfin une nuit, vers le 15 février, ce fut lui-même qui m'éveilla en me posant doucement la main sur l'épaule.

La journée avait été fort agitée. Meaulnes, qui délaissait complètement tous les jeux de ses anciens camarades, était resté, durant la dernière récréation du soir, assis sur son banc, tout occupé à établir un mystérieux petit plan, en suivant du doigt, et en calculant longuement, sur l'atlas du Cher. Un va-et-vient incessant se produisait entre la cour et la salle de classe. Les sabots claquaient. On se pourchassait de table en table, franchissant les bancs et l'estrade d'un saut... On savait qu'il ne faisait pas bon s'approcher de Meaulnes lorsqu'il travaillait ainsi; cependant, comme la récréation se prolongeait, deux ou trois gamins du bourg, par manière de jeu, s'approchèrent à pas de loup et regardèrent par-dessus son épaule. L'un d'eux s'enhardit jusqu'à pousser les autres sur Meaulnes... Il ferma brusquement son atlas, cacha sa feuille et empoigna le dernier des trois gars, tandis que les deux autres avaient pu s'échapper.

... C'était ce hargneux Giraudat, qui prit un ton

pleurard, essaya de donner des coups de pied, et, en fin de compte, fut mis dehors par le grand Meaulnes, à qui il cria rageusement :

« Grand lâche ! ça ne m'étonne pas qu'ils sont tous contre toi, qu'ils veulent te faire la guerre !... »

et une foule d'injures, auxquelles nous répondîmes, sans avoir bien compris ce qu'il avait voulu dire. C'est moi qui criais le plus fort, car j'avais pris le parti du grand Meaulnes. Il y avait maintenant comme un pacte entre nous. La promesse qu'il m'avait faite de m'emmener avec lui, sans me dire, comme tout le monde, « que je ne pourrais pas marcher », m'avait lié à lui pour toujours. Et je ne cessais de penser à son mystérieux voyage. Je m'étais persuadé qu'il avait dû rencontrer une jeune fille. Elle était sans doute infiniment plus belle que toutes celles du pays, plus belle que Jeanne, qu'on apercevait dans le jardin des religieuses par le trou de la serrure; et que Madeleine, la fille du boulanger, toute rose et toute blonde; et que Jenny, la fille de la châtelaine, qui était admirable, mais folle et toujours enfermée. C'est à une jeune fille certainement qu'il pensait la nuit, comme un héros de roman. Et j'avais décidé de lui en parler, bravement, la première fois qu'il m'éveillerait...

Le soir de cette nouvelle bataille, après quatre heures, nous étions tous les deux occupés à rentrer des outils du jardin, des pics et des pelles qui avaient servi à creuser des trous, lorsque nous entendîmes des cris sur la route. C'était une bande de jeunes gens et de gamins, en colonne par quatre, au pas gymnastique, évoluant comme une compagnie parfaitement organisée, conduits par Delouche, Daniel, Giraudat, et un autre que nous ne connûmes point. Ils nous avaient aperçus et ils nous huaient de la belle façon. Ainsi tout le bourg était contre nous, et l'on préparait je ne sais quel jeu guerrier dont nous étions exclus.

Meaulnes, sans mot dire, remisa sous le hangar la bêche et la pioche qu'il avait sur l'épaule...

Mais, à minuit, je sentais sa main sur mon bras, et je m'éveillais en sursaut.

« Lève-toi, dit-il, nous partons.

— Connais-tu maintenant le chemin jusqu'au bout ?

— J'en connais une bonne partie. Et il faudra bien que nous trouvions le reste! répondit-il, les dents serrées.

— Ecoute, Meaulnes, fis-je en me mettant sur mon séant. Ecoute-moi : nous n'avons qu'une chose à faire; c'est de chercher tous les deux en plein jour, en nous servant de ton plan, la partie du chemin qui nous manque.

— Mais cette portion-là est très loin d'ici.

— Eh bien, nous irons en voiture, cet été, dès que les journées seront longues ».

Il y eut un silence prolongé qui voulait dire qu'il acceptait.

« Puisque nous tâcherons ensemble de retrouver la jeune fille que tu aimes, Meaulnes, ajoutai-je enfin, dis-moi qui elle est, parle-moi d'elle ».

Il s'assit sur le pied de mon lit. Je voyais dans l'ombre sa tête penchée, ses bras croisés et ses genoux. Puis il aspira l'air fortement, comme quelqu'un qui a eu gros cœur longtemps et qui va enfin confier son secret...

CHAPITRE VIII

L'AVENTURE

MON compagnon ne me conta pas cette nuit-là tout ce qui lui était arrivé sur la route. Et même lorsqu'il se fut décidé à me tout confier, durant des jours de détresse dont je reparlerai, ce resta longtemps le grand secret de nos adolescences. Mais aujourd'hui que tout est fini, maintenant qu'il ne reste plus que poussière

de tant de mal, de tant de bien,

je puis raconter son étrange aventure.

. . . .

A une heure et demie de l'après-midi, sur la route de Vierzon, par ce temps glacial, Meaulnes fit marcher la bête bon train, car il savait n'être pas en avance. Il ne songea d'abord, pour s'en amuser, qu'à notre surprise à tous, lorsqu'il ramènerait dans la carriole, à quatre heures, le grand-père et la grand'mère Charpentier. Car, à ce moment-là, certes, il n'avait pas d'autre intention.

Peu à peu, le froid le pénétrant, il s'enveloppa les jambes dans une couverture qu'il avait d'abord refusée et que les gens de la Belle-Etoile avaient mise de force dans la voiture.

A deux heures, il traversa le bourg de La Motte. Il n'était jamais passé dans un petit pays aux heures de classe et s'amusa de voir celui-là aussi désert, aussi endormi. C'est à peine si, de loin en loin, un rideau se leva, montrant une tête curieuse de bonne femme.

A la sortie de La Motte, aussitôt après la maison d'école, il hésita entre deux routes et crut se rappeler qu'il fallait tourner à gauche pour aller à Vierzon. Personne n'était là pour le renseigner. Il remit sa jument au trot sur la route désormais plus étroite et mal empierrée. Il longea quelque temps un bois de sapins et rencontra enfin un roulier à qui il demanda, mettant sa main en porte-voix, s'il était bien là sur la route de Vierzon. La jument, tirant sur les guides, continuait à trotter; l'homme ne dut pas comprendre ce qu'on lui demandait; il cria quelque chose en faisant un geste vague, et, à tout hasard, Meaulnes poursuivit sa route.

De nouveau ce fut la vaste campagne gelée, sans accident ni distraction aucune; parfois seulement une pie s'envolait, effrayée par la voiture, pour aller se percher plus loin sur un orme sans tête. Le voyageur avait enroulé autour de ses épaules, comme une cape, sa grande couverture. Les jambes allongées, accoudé sur un côté de la carriole, il dut somnoler un assez long moment...

... Lorsque, grâce au froid, qui traversait maintenant la couverture, Meaulnes eut repris ses esprits, il s'aperçut que le paysage avait changé. Ce n'étaient plus ces horizons lointains, ce grand ciel blanc où se perdait le regard, mais de petits prés encore verts avec de hautes clôtures. A droite et à gauche, l'eau des fossés coulait sous la glace. Tout faisait pressentir l'approche d'une rivière. Et, entre les hautes haies, la route n'était plus qu'un étroit chemin défoncé.

La jument, depuis un instant, avait cessé de trotter. D'un coup de fouet, Meaulnes voulut lui faire reprendre sa vive allure, mais elle continua à marcher au pas avec une extrême lenteur, et le grand écolier, regardant de côté, les mains appuyées sur le devant de la voiture, s'aperçut qu'elle boitait d'une jambe de derrière. Aussitôt il sauta à terre, très inquiet.

« Jamais nous n'arriverons à Vierzon pour le train », dit-il à mi-voix.

Et il n'osait pas s'avouer sa pensée la plus inquiétante, à savoir que peut-être il s'était trompé de chemin et qu'il n'était plus là sur la route de Vierzon.

Il examina longuement le pied de la bête et n'y découvrit aucune trace de blessure. Très craintive, la jument levait la patte dès que Meaulnes voulait la toucher et grattait le sol de son sabot lourd et maladroit. Il comprit enfin qu'elle avait tout simplement un caillou dans le sabot. En gars expert au maniement du bétail, il s'accroupit, tenta de lui saisir le pied droit avec sa main gauche et de le placer entre ses genoux, mais il fut gêné par la voiture. A deux reprises, la jument se déroba et avança de quelques mètres. Le marchepied vint le frapper à la tête et la roue le blessa au genou. Il s'obstina et finit par triompher de la bête peureuse; mais le caillou se trouvait si bien enfoncé que Meaulnes dut sortir son couteau de paysan pour en venir à bout.

Lorsqu'il eut terminé sa besogne, et qu'il releva enfin la tête, à demi étourdi et les yeux troubles, il s'aperçut avec stupeur que la nuit tombait...

Tout autre que Meaulnes eût immédiatement rebroussé chemin. C'était le seul moyen de ne pas s'égarer davantage. Mais il réfléchit qu'il devait être maintenant fort loin de La Motte. En outre la jument pouvait avoir pris un chemin transversal pendant qu'il dormait. Enfin, ce chemin-là devait bien à la longue mener vers quelque village... Ajoutez à toutes ces raisons que le grand gars, en remontant sur le marchepied, tandis que la bête impatiente tirait déjà sur les guides, sentait grandir en lui le désir exaspéré d'aboutir à quelque chose et d'arriver quelque part, en dépit de tous les obstacles !

Il fouetta la jument qui fit un écart et se remit au grand trot. L'obscurité croissait. Dans le sentier raviné, il y avait maintenant tout juste passage pour la voiture. Parfois une branche morte de la haie se prenait dans la roue et se cassait avec un bruit sec... Lorsqu'il fit tout à fait noir, Meaulnes songea soudain, avec un serrement de cœur, à la salle à manger de Sainte-Agathe, où nous devions, à cette heure, être tous réunis. Puis la colère le prit; puis l'orgueil et la joie profonde de s'être ainsi évadé, sans l'avoir voulu...

CHAPITRE IX

SOUDAIN, la jument ralentit son allure, comme si son pied avait buté dans l'ombre; Meaulnes vit sa tête plonger et se relever par deux fois; puis elle s'arrêta net, les naseaux bas, semblant humer quelque chose. Autour des pieds de la bête, on entendait comme un clapotis d'eau. Un ruisseau coupait le chemin. En été, ce devait être un gué. Mais à cette époque le courant était si fort que la glace n'avait pas pris et qu'il eût été dangereux de pousser plus avant.

Meaulnes tira doucement sur les guides, pour reculer de quelques pas et, très perplexe, se dressa dans la voiture. C'est alors qu'il aperçut, entre les branches, une lumière. Deux ou trois prés seulement devaient la séparer du chemin...

L'écolier descendit de voiture et ramena la jument en arrière, en lui parlant pour la calmer, pour arrêter ses brusques coups de tête effrayés :

« Allons, ma vieille ! Allons ! Maintenant nous n'irons pas plus loin. Nous saurons bientôt où nous sommes arrivés ».

Et, poussant la barrière entrouverte d'un petit pré qui donnait sur le chemin, il fit entrer là son équipage. Ses pieds enfonçaient dans l'herbe molle. La voiture cahotait silencieusement. Sa tête contre celle de

la bête, il sentait sa chaleur et le souffle dur de son
haleine... Il la conduisit tout au bout du pré, lui mit
sur le dos la couverture; puis, écartant les branches
de la clôture du fond, il aperçut de nouveau la
lumière, qui était celle d'une maison isolée.

Il lui fallut bien, tout de même, traverser trois prés,
sauter un traître petit ruisseau, où il faillit plonger
les deux pieds à la fois... Enfin, après un dernier saut
du haut d'un talus, il se trouva dans la cour d'une
maison campagnarde. Un cochon grognait dans son
têt. Au bruit des pas sur la terre gelée, un chien se
mit à aboyer avec fureur.

Le volet de la porte était ouvert, et la lueur que
Meaulnes avait aperçue était celle d'un feu de fagots
allumé dans la cheminée. Il n'y avait pas d'autre
lumière que celle du feu. Une bonne femme, dans la
maison, se leva et s'approcha de la porte, sans paraître
autrement effrayée. L'horloge à poids, juste à cet
instant, sonna la demie de sept heures.

« Excusez-moi, ma pauvre dame, dit le grand garçon,
je crois bien que j'ai mis le pied dans vos chrysan-
thèmes ».

Arrêtée, un bol à la main, elle le regardait.

« Il est vrai, dit-elle, qu'il fait noir dans la cour
à ne pas s'y conduire ».

Il y eut un silence, pendant lequel Meaulnes,
debout, regarda les murs de la pièce tapissée de jour-
naux illustrés comme une auberge, et la table, sur
laquelle un chapeau d'homme était posé.

« Il n'est pas là, le patron ? dit-il en s'asseyant.

— Il va revenir, répondit la femme, mise en
confiance. Il est allé chercher un fagot.

— Ce n'est pas que j'aie besoin de lui, poursuivit
le jeune homme en rapprochant sa chaise du feu. Mais
nous sommes là plusieurs chasseurs à l'affût. Je suis
venu vous demander de nous céder un peu de pain ».

Il savait, le grand Meaulnes, que chez les gens de
campagne, et surtout dans une ferme isolée, il faut

parler avec beaucoup de discrétion, de politique même, et surtout ne jamais montrer qu'on n'est pas du pays.

« Du pain? dit-elle. Nous ne pourrons guère vous en donner. Le boulanger qui passe pourtant tous les mardis n'est pas venu aujourd'hui ».

Augustin, qui avait espéré un instant se trouver à proximité d'un village, s'effraya.

« Le boulanger de quel pays? demanda-t-il.

— Eh bien, le boulanger du Vieux-Nançay, répondit la femme avec étonnement.

— C'est à quelle distance d'ici, au juste, Le Vieux-Nançay? poursuivit Meaulnes très inquiet.

— Par la route, je ne saurais pas vous dire au juste; mais par la traverse il y a trois lieues et demie ».

Et elle se mit à raconter qu'elle y avait sa fille en place, qu'elle venait à pied pour la voir tous les premiers dimanches du mois et que ses patrons...

Mais Meaulnes, complètement dérouté, l'interrompit pour dire :

« Le Vieux-Nançay serait-il le bourg le plus rapproché d'ici?

— Non, c'est Les Landes, à cinq kilomètres. Mais il n'y a pas de marchands ni de boulanger. Il y a tout juste une petite assemblée, chaque année, à la Saint-Martin ».

Meaulnes n'avait jamais entendu parler des Landes. Il se vit à tel point égaré qu'il en fut presque amusé. Mais la femme, qui était occupée à laver son bol sur l'évier, se retourna, curieuse à son tour, et elle dit lentement, en le regardant bien droit :

« C'est-il que vous n'êtes pas du pays?... »

A ce moment, un paysan âgé se présenta à la porte, avec une brassée de bois, qu'il jeta sur le carreau. La femme lui expliqua, très fort, comme s'il eût été sourd, ce que demandait le jeune homme.

« Eh bien, c'est facile, dit-il simplement. Mais

approchez-vous, monsieur. Vous ne vous chauffez pas ».

Tous les deux, un instant plus tard, ils étaient installés près des chenets : le vieux cassant son bois pour le mettre dans le feu, Meaulnes mangeant un bol de lait avec du pain qu'on lui avait offert. Notre voyageur, ravi de se trouver dans cette humble maison après tant d'inquiétudes, pensant que sa bizarre aventure était terminée, faisait déjà le projet de revenir plus tard avec des camarades revoir ces braves gens. Il ne savait pas que c'était là seulement une halte, et qu'il allait tout à l'heure reprendre son chemin.

Il demanda bientôt qu'on le remît sur la route de La Motte. Et, revenant peu à peu à la vérité, il raconta qu'avec sa voiture il s'était séparé des autres chasseurs et se trouvait maintenant complètement égaré.

Alors l'homme et la femme insistèrent si longtemps pour qu'il restât coucher et repartît seulement au grand jour, que Meaulnes finit par accepter et sortit chercher sa jument pour la rentrer à l'écurie.

« Vous prendrez garde aux trous de la sente », lui dit l'homme.

Meaulnes n'osa pas avouer qu'il n'était pas venu par la « sente ». Il fut sur le point de demander au brave homme de l'accompagner. Il hésita une seconde sur le seuil et si grande était son indécision qu'il faillit chanceler. Puis il sortit dans la cour obscure.

CHAPITRE X

LA BERGERIE

Pour s'y reconnaître, il grimpa sur le talus d'où il avait sauté.

Lentement et difficilement, comme à l'aller, il se guida entre les herbes et les eaux, à travers les clôtures de saules, et s'en fut chercher sa voiture dans le fond du pré où il l'avait laissée. La voiture n'y était plus... Immobile, la tête battante, il s'efforça d'écouter tous les bruits de la nuit, croyant à chaque seconde entendre sonner tout près le collier de la bête. Rien... Il fit le tour du pré; la barrière était à demi ouverte, à demi renversée, comme si une roue de voiture avait passé dessus. La jument avait dû, par là, s'échapper toute seule.

Remontant le chemin, il fit quelques pas et s'embarrassa les pieds dans la couverture qui sans doute avait glissé de la jument à terre. Il en conclut que la bête s'était enfuie dans cette direction. Il se prit à courir.

Sans autre idée que la volonté tenace et folle de rattraper sa voiture, tout le sang au visage, en proie à ce désir panique qui ressemblait à la peur, il courait... Parfois son pied butait dans les ornières. Aux tournants, dans l'obscurité totale, il se jetait contre les clôtures, et, déjà trop fatigué pour s'arrêter à

temps, s'abattait sur les épines, les bras en avant, se
déchirant les mains pour se protéger le visage. Parfois,
il s'arrêtait, écoutait — et repartait. Un instant, il
crut entendre un bruit de voiture; mais ce n'était
qu'un tombereau cahotant qui passait très loin, sur
une route, à gauche...

Vint un moment où son genou, blessé au marchepied, lui fit si mal qu'il dut s'arrêter, la jambe raidie. Alors il réfléchit que si la jument ne s'était pas
sauvée au grand galop, il l'aurait depuis longtemps
rejointe. Il se dit aussi qu'une voiture ne se perdait
pas ainsi et que quelqu'un la retrouverait bien. Enfin
il revint sur ses pas, épuisé, colère, se traînant à peine.

A la longue, il crut se retrouver dans les parages
qu'il avait quittés et bientôt il aperçut la lumière de
la maison qu'il cherchait. Un sentier profond s'ouvrait
dans la haie :

« Voilà la sente dont le vieux m'a parlé », se dit
Augustin.

Et il s'engagea dans ce passage, heureux de n'avoir
plus à franchir les haies et les talus. Au bout d'un
instant, le sentier déviant à gauche, la lumière parut
glisser à droite, et, parvenu à un croisement de chemins, Meaulnes, dans sa hâte à regagner le pauvre
logis, suivit sans réfléchir un sentier qui paraissait
directement y conduire. Mais à peine avait-il fait dix
pas dans cette direction que la lumière disparut, soit
qu'elle fût cachée par une haie, soit que les paysans,
fatigués d'attendre, eussent fermé leurs volets. Coura-
geusement, l'écolier sauta à travers champs, marcha
tout droit dans la direction où la lumière avait brillé
tout à l'heure. Puis, franchissant encore une clôture,
il retomba dans un nouveau sentier...

Ainsi peu à peu s'embrouillait la piste du grand
Meaulnes et se brisait le lien qui l'attachait à ceux
qu'il avait quittés.

Découragé, presque à bout de forces, il résolut,
dans son désespoir, de suivre ce sentier jusqu'au bout.

A cent pas de là, il débouchait dans une grande prairie grise, où l'on distinguait de loin en loin des ombres qui devaient être des genévriers, et une bâtisse obscure dans un repli de terrain. Meaulnes s'en approcha. Ce n'était là qu'une sorte de grand parc à bétail ou de bergerie abandonnée. La porte céda avec un gémissement. La lueur de la lune, quand le grand vent chassait les nuages, passait à travers les fentes des cloisons. Une odeur de moisi régnait.

Sans chercher plus avant, Meaulnes s'étendit sur la paille humide, le coude à terre, la tête dans la main. Ayant retiré sa ceinture, il se recroquevilla dans sa blouse, les genoux au ventre. Il songea alors à la couverture de la jument qu'il avait laissée dans le chemin, et il se sentit si malheureux, si fâché contre lui-même qu'il lui prit une forte envie de pleurer...

Aussi s'efforça-t-il de penser à autre chose. Glacé jusqu'aux moelles, il se rappela un rêve — une vision plutôt, qu'il avait eue tout enfant, et dont il n'avait jamais parlé à personne : un matin, au lieu de s'éveiller dans sa chambre, où pendaient ses culottes et ses paletots, il s'était trouvé dans une longue pièce verte, aux tentures pareilles à des feuillages. En ce lieu coulait une lumière si douce qu'on eût cru pouvoir la goûter. Près de la première fenêtre, une jeune fille cousait, le dos tourné, semblant attendre son réveil... Il n'avait pas eu la force de se glisser hors de son lit pour marcher dans cette demeure enchantée. Il s'était rendormi... Mais la prochaine fois, il jurait bien de se lever. Demain matin, peut-être !...

CHAPITRE XI

Dès le petit jour, il se reprit à marcher. Mais son genou enflé lui faisait mal; il lui fallait s'arrêter et s'asseoir à chaque moment tant la douleur était vive. L'endroit où il se trouvait était d'ailleurs le plus désolé de la Sologne. De toute la matinée, il ne vit qu'une bergère, à l'horizon, qui ramenait son troupeau. Il eut beau la héler, essayer de courir, elle disparut sans l'entendre.

Il continua cependant de marcher dans sa direction, avec une désolante lenteur... Pas un toit, pas une âme. Pas même le cri d'un courlis dans les roseaux des marais. Et, sur cette solitude parfaite, brillait un soleil de décembre, clair et glacial.

Il pouvait être trois heures de l'après-midi lorsqu'il aperçut enfin, au-dessus d'un bois de sapins, la flèche d'une tourelle grise.

« Quelque vieux manoir abandonné, se dit-il, quelque pigeonnier désert !... »

Et, sans presser le pas, il continua son chemin. Au coin du bois débouchait, entre deux poteaux blancs, une allée où Meaulnes s'engagea. Il y fit quelques pas et s'arrêta, plein de surprise, troublé d'une émotion inexplicable. Il marchait pourtant du même pas fatigué, le vent glacé lui gerçait les lèvres, le suffoquait

par instants; et pourtant un contentement extraordinaire le soulevait, une tranquillité parfaite et
presque enivrante, la certitude que son but était atteint
et qu'il n'y avait plus maintenant que du bonheur à
espérer. C'est ainsi que, jadis, la veille des grandes
fêtes d'été, il se sentait défaillir, lorsqu'à la tombée
de la nuit on plantait des sapins dans les rues du
bourg et que la fenêtre de sa chambre était obstruée
par les branches.

« Tant de joie, se dit-il, parce que j'arrive à ce vieux
pigeonnier, plein de hiboux et de courants d'air !... »

Et, fâché contre lui-même, il s'arrêta, se demandant
s'il ne valait pas mieux rebrousser chemin et continuer
jusqu'au prochain village. Il réfléchissait depuis un
instant, la tête basse, lorsqu'il s'aperçut soudain que
l'allée était balayée à grands ronds réguliers comme
on faisait chez lui pour les fêtes. Il se trouvait dans
un chemin pareil à la grand'rue de La Ferté, le matin
de l'Assomption !... Il eût aperçu au détour de l'allée
une troupe de gens en fête soulevant la poussière,
comme au mois de juin, qu'il n'eût pas été surpris
davantage.

« Y aurait-il une fête dans cette solitude ? » se
demanda-t-il.

Avançant jusqu'au premier détour, il entendit un
bruit de voix qui s'approchaient. Il se jeta de côté
dans les jeunes sapins touffus, s'accroupit et écouta en
retenant son souffle. C'étaient des voix enfantines.
Une troupe d'enfants passa tout près de lui. L'un
d'eux, probablement une petite fille, parlait d'un ton
si sage et si entendu que Meaulnes, bien qu'il ne
comprît guère le sens de ses paroles, ne put s'empêcher de sourire :

« Une seule chose m'inquiète, disait-elle, c'est la
question des chevaux. On n'empêchera jamais Daniel,
par exemple, de monter sur le grand poney jaune !

— Jamais on ne m'en empêchera répondit une voix
moqueuse de jeune garçon. Est-ce que nous n'avons

pas toutes les permissions ?... Même celle de nous faire
mal, s'il nous plaît... »

Et les voix s'éloignèrent, au moment où s'appro-
chait déjà un autre groupe d'enfants.

« Si la glace est fondue, dit une fillette, demain
matin, nous irons en bateau.

— Mais nous le permettra-t-on ? dit une autre.

— Vous savez bien que nous organisons la fête à
notre guise.

— Et si Frantz rentrait dès ce soir, avec sa fiancée ?

— Eh bien, il ferait ce que nous voudrions !... »

« Il s'agit d'une noce, sans doute, se dit Augustin.
Mais ce sont les enfants qui font la loi, ici ?... Etrange
domaine ! »

Il voulut sortir de sa cachette pour leur demander
où l'on trouverait à boire et à manger. Il se dressa et
vit le dernier groupe qui s'éloignait. C'étaient trois
fillettes avec des robes droites qui s'arrêtaient aux
genoux. Elle avaient de jolis chapeaux à brides. Une
plume blanche leur traînait dans le cou, à toutes les
trois. L'une d'elles, à demi retournée, un peu penchée, écoutait sa compagne qui lui donnait de grandes
explications, le doigt levé.

« Je leur ferais peur », se dit Meaulnes, en regardant sa blouse paysanne déchirée et son ceinturon
baroque de collégien de Sainte-Agathe.

Craignant que les enfants ne le rencontrassent en
revenant par l'allée, il continua son chemin à travers
les sapins dans la direction du « pigeonnier », sans
trop réfléchir à ce qu'il pourrait demander là-bas. Il
fut bientôt arrêté à la lisière du bois, par un petit
mur moussu. De l'autre côté, entre le mur et les
annexes du domaine, c'était une longue cour étroite
toute remplie de voitures, comme une cour d'auberge
un jour de foire. Il y en avait de tous les genres et
de toutes les formes : de fines petites voitures à quatre
places, les brancards en l'air; des chars à bancs; des

bourbonnaises démodées avec des galeries à moulures,
et même de vieilles berlines dont les glaces étaient
levées.

Meaulnes, caché derrière les sapins, de crainte qu'on
ne l'aperçût, examinait le désordre du lieu, lorsqu'il
avisa, de l'autre côté de la cour, juste au-dessus du
siège d'un haut char à bancs, une fenêtre des annexes
à demi ouverte. Deux barreaux de fer, comme on en
voit derrière les domaines aux volets toujours fermés
des écuries, avaient dû clore cette ouverture. Mais le
temps les avait descellés.

« Je vais entrer là, se dit l'écolier, je dormirai dans
le foin et je partirai au petit jour, sans avoir fait peur
à ces belles petites filles ».

Il franchit le mur, péniblement, à cause de son
genou blessé, et, passant d'une voiture sur l'autre, du
siège d'un char à bancs sur le toit d'une berline, il
arriva à la hauteur de la fenêtre, qu'il poussa sans
bruit comme une porte.

Il se trouvait non pas dans un grenier à foin, mais
dans une vaste pièce au plafond bas qui devait être
une chambre à coucher. On distinguait, dans la demi-
obscurité du soir d'hiver, que la table, la cheminée et
même les fauteuils étaient chargés de grands vases,
d'objets de prix, d'armes anciennes. Au fond de la
pièce, des rideaux tombaient, qui devaient cacher une
alcôve.

Meaulnes avait fermé la fenêtre, tant à cause du
froid que par crainte d'être aperçu du dehors. Il alla
soulever le rideau du fond et découvrit un grand lit
bas, couvert de vieux livres dorés, de luths aux cordes
cassées et de candélabres jetés pêle-mêle. Il repoussa
toutes ces choses dans le fond de l'alcôve, puis s'étendit sur cette couche pour s'y reposer et réfléchir un
peu à l'étrange aventure dans laquelle il s'était jeté.

Un silence profond régnait sur ce domaine. Par
instants seulement on entendait gémir le grand vent
de décembre.

Et Meaulnes, étendu, en venait à se demander si,
malgré ces étranges rencontres, malgré la voix des enfants dans l'allée, malgré les voitures entassées, ce
n'était pas là simplement, comme il l'avait pensé
d'abord, une vieille bâtisse abandonnée dans la solitude de l'hiver.

Il lui sembla bientôt que le vent lui portait le son
d'une musique perdue. C'était comme un souvenir
plein de charme et de regret. Il se rappela le temps
où sa mère, jeune encore, se mettait au piano l'après-
midi dans le salon, et lui, sans rien dire, derrière la
porte qui donnait sur le jardin, il l'écoutait jusqu'à la
nuit...

« On dirait que quelqu'un joue du piano, quelque
part ? pensa-t-il.

Mais laissant sa question sans réponse, harassé de
fatigue, il ne tarda pas à s'endormir...

CHAPITRE XII

LA CHAMBRE DE WELLINGTON

Il faisait nuit lorsqu'il s'éveilla. Transi de froid, il se tourna et retourna sur sa couche, fripant et roulant sous lui sa blouse noire. Une faible clarté glauque baignait les rideaux de l'alcôve.

S'asseyant sur le lit, il glissa sa tête entre les rideaux. Quelqu'un avait ouvert la fenêtre et l'on avait attaché dans l'embrasure deux lanternes vénitiennes vertes.

Mais à peine Meaulnes avait-il pu jeter un coup d'œil, qu'il entendit sur le palier un bruit de pas étouffé et de conversation à voix basse. Il se rejeta dans l'alcôve et ses souliers ferrés firent sonner un des objets de bronze qu'il avait repoussés contre le mur. Un instant, très inquiet, il retint son souffle. Les pas se rapprochèrent et deux ombres glissèrent dans la chambre.

« Ne fais pas de bruit, disait l'un.

— Ah ! répondait l'autre, il est toujours bien temps qu'il s'éveille !

— As-tu garni sa chambre ?

— Mais oui, comme celles des autres ».

Le vent fit battre la fenêtre ouverte.

« Tiens, dit le premier, tu n'as pas même fermé la fenêtre. Le vent a déjà éteint une des lanternes. Il va falloir la rallumer.

— Bah ! répondit l'autre, pris d'une paresse et d'un

découragement soudains. A quoi bon ces illuminations du côté de la campagne, du côté du désert, autant dire ? Il n'y a personne pour les voir.

— Personne ? Mais il arrivera encore des gens pendant une partie de la nuit. Là-bas, sur la route, dans leurs voitures, ils seront bien contents d'apercevoir nos lumières ! »

Meaulnes entendit craquer une allumette. Celui qui avait parlé le dernier, et qui paraissait être le chef, reprit d'une voix traînante, à la façon d'un fossoyeur de Shakespeare :

« Tu mets des lanternes vertes à la chambre de Wellington. T'en mettrais aussi bien des rouges... Tu ne t'y connais pas plus que moi ! »

Un silence.

« ... Wellington, c'était un Américain ? Eh bien, c'est-il une couleur américaine, le vert ? Toi, le comédien qui as voyagé, tu devrais savoir ça.

— Oh ! là là ! répondit le « comédien », voyagé ? Oui, j'ai voyagé ! Mais je n'ai rien vu ! Que veux-tu voir dans une roulotte ? »

Meaulnes avec précaution regarda entre les rideaux. Celui qui commandait la manœuvre était un gros homme nu-tête, enfoncé dans un énorme paletot. Il tenait à la main une longue perche garnie de lanternes multicolores, et il regardait paisiblement, une jambe croisée sur l'autre, travailler son compagnon.

Quant au comédien, c'était le corps le plus lamentable qu'on puisse imaginer. Grand, maigre, grelottant, ses yeux glauques et louches, sa moustache retombant sur sa bouche édentée faisaient songer à la face d'un noyé qui ruisselle sur une dalle. Il était en manches de chemise, et ses dents claquaient. Il montrait dans ses paroles et ses gestes le mépris le plus parfait pour sa propre personne.

Après un moment de réflexion amère et risible à la fois, il s'approcha de son partenaire et lui confia, les deux bras écartés :

« Veux-tu que je te dise ?... Je ne peux pas comprendre qu'on soit allé chercher des dégoûtants comme nous, pour servir dans une fête pareille ! Voilà, mon gars !... »

Mais sans prendre garde à ce grand élan du cœur, le gros homme continua de regarder son travail, les jambes croisées, bâilla, renifla tranquillement, puis, tournant le dos, s'en fut, sa perche sur l'épaule, en disant :

« Allons, en route ! Il est temps de s'habiller pour le dîner ».

Le bohémien le suivit, mais, en passant devant l'alcôve :

« Monsieur l'Endormi, fit-il avec des révérences et des inflexions de voix gouailleuses, vous n'avez plus qu'à vous éveiller, à vous habiller en marquis, même si vous êtes un marmiteux comme je suis; et vous descendrez à la fête costumée, puisque c'est le bon plaisir de ces petits messieurs et de ces petites demoiselles ».

Il ajouta, sur le ton d'un boniment forain, avec une dernière révérence :

« Notre camarade Maloyau, attaché aux cuisines, vous présentera le personnage d'Arlequin, et votre serviteur, celui du grand Pierrot ».

CHAPITRE XIII

DÈS qu'ils eurent disparu, l'écolier sortit de sa cachette. Il avait les pieds glacés, les articulations raides; mais il était reposé et son genou paraissait guéri.

« Descendre au dîner, pensa-t-il, je ne manquerai pas de le faire. Je serai simplement un invité dont tout le monde a oublié le nom. D'ailleurs, je ne suis pas un intrus ici. Il est hors de doute que M. Maloyau et son compagnon m'attendaient... »

Au sortir de l'obscurité totale de l'alcôve, il put y voir assez distinctement dans la chambre éclairée par les lanternes vertes.

Le bohémien l'avait « garnie ». Des manteaux étaient accrochés aux patères. Sur une lourde table à toilette, au marbre brisé, on avait disposé de quoi transformer en muscadin tel garçon qui eût passé la nuit précédente dans une bergerie abandonnée. Il y avait, sur la cheminée, des allumettes auprès d'un grand flambeau. Mais on avait omis de cirer le parquet; et Meaulnes sentit rouler sous ses souliers du sable et des gravats. De nouveau il eut l'impression d'être dans une maison depuis longtemps abandonnée... En allant vers la cheminée, il faillit buter contre une pile de grands cartons et de petites boîtes : il étendit le bras, alluma la bougie, puis souleva les couvercles et se pencha pour regarder.

C'étaient des costumes de jeunes gens d'il y a longtemps, des redingotes à hauts cols de velours, de fins gilets très ouverts, d'interminables cravates blanches et des souliers vernis du début de ce siècle. Il n'osait rien toucher du bout du doigt, mais après s'être nettoyé en frissonnant, il endossa sur sa blouse d'écolier un des grands manteaux dont il releva le collet plissé, remplaça ses souliers ferrés par de fins escarpins vernis et se prépara à descendre nu-tête.

Il arriva, sans rencontrer personne, au bas d'un escalier de bois, dans un recoin de cour obscur. L'haleine glacée de la nuit vint lui souffler au visage et soulever un pan de son manteau.

Il fit quelques pas et, grâce à la vague clarté du ciel, il put se rendre compte aussitôt de la configuration des lieux. Il était dans une petite cour formée par des bâtiments des dépendances. Tout y paraissait vieux et ruiné. Les ouvertures au bas des escaliers étaient béantes, car les portes depuis longtemps avaient été enlevées; on n'avait pas non plus remplacé les carreaux des fenêtres qui faisaient des trous noirs dans les murs. Et pourtant toutes ces bâtisses avaient un mystérieux air de fête. Une sorte de reflet coloré flottait dans les chambres basses où l'on avait dû allumer aussi, du côté de la campagne, des lanternes. La terre était balayée; on avait arraché l'herbe envahissante. Enfin, en prêtant l'oreille, Meaulnes crut entendre comme un chant, comme des voix d'enfants et de jeunes filles, là-bas, vers les bâtiments confus où le vent secouait des branches devant les ouvertures roses, vertes et bleues des fenêtres.

Il était là, dans son grand manteau, comme un chasseur, à demi penché, prêtant l'oreille, lorsqu'un extraordinaire petit jeune homme sortit du bâtiment voisin, qu'on aurait cru désert.

Il avait un chapeau haut de forme très cintré qui brillait dans la nuit comme s'il eût été d'argent; un habit dont le col lui montait dans les cheveux, un gilet très ouvert, un pantalon à sous-pieds... Cet élégant, qui pouvait avoir quinze ans, marchait sur la pointe des pieds comme s'il eût été soulevé par les élastiques de son pantalon, mais avec une rapidité extraordinaire. Il salua Meaulnes au passage sans s'arrêter, profondément, automatiquement, et disparut dans l'obscurité, vers le bâtiment central, ferme, château ou abbaye, dont la tourelle avait guidé l'écolier au début de l'après-midi.

Après un instant d'hésitation, notre héros emboîta le pas au curieux petit personnage. Ils traversèrent une sorte de grande cour-jardin, passèrent entre des massifs, contournèrent un vivier enclos de palissades, un puits, et se trouvèrent enfin au seuil de la demeure centrale.

Une lourde porte de bois, arrondie dans le haut et cloutée comme une porte de presbytère, était à demi ouverte. L'élégant s'y engouffra. Meaulnes le suivit, et, dès ses premiers pas dans le corridor, il se trouva, sans voir personne, entouré de rires, de chants, d'appels et de poursuites.

Tout au bout de celui-ci passait un couloir transversal. Meaulnes hésitait s'il allait pousser jusqu'au fond ou bien ouvrir une des portes derrière lesquelles il entendait un bruit de voix, lorsqu'il vit passer dans le fond deux fillettes qui se poursuivaient. Il courut pour les voir et les rattraper, à pas de loup, sur ses escarpins. Un bruit de portes qui s'ouvrent, deux visages de quinze ans que la fraîcheur du soir et la poursuite ont rendus tout roses, sous de grands cabriolets à brides, et tout va disparaître dans un brusque éclat de lumière.

Une seconde, elles tournent sur elles-mêmes, par jeu; leurs amples jupes légères se soulèvent et se gonflent; on aperçoit la dentelle de leurs longs, amusants pantalons; puis, ensemble, après cette pirouette, elles bondissent dans la pièce et referment la porte.

Meaulnes reste un moment ébloui et titubant dans ce corridor noir. Il craint maintenant d'être surpris. Son allure hésitante et gauche le ferait, sans doute, prendre pour un voleur. Il va s'en retourner délibérément vers la sortie, lorsque de nouveau il entend dans le fond du corridor un bruit de pas et des voix d'enfants. Ce sont deux petits garçons qui s'approchent en parlant.

« Est-ce qu'on va bientôt dîner, leur demande Meaulnes avec aplomb.

— Viens avec nous, répond le plus grand, on va t'y conduire ».

Et avec cette confiance et ce besoin d'amitié qu'ont les enfants, la veille d'une grande fête, ils le prennent chacun par la main. Ce sont probablement deux petits garçons de paysans. On leur a mis leurs plus beaux habits : de petites culottes coupées à mi-jambe qui laissent voir leurs gros bas de laine et leurs galoches, un petit justaucorps de velours bleu, une casquette de même couleur et un nœud de cravate blanc.

« La connais-tu, toi ? demande l'un des enfants.

— Moi, fait le plus petit, qui a une tête ronde et des yeux naïfs, maman m'a dit qu'elle avait une robe noire et une collerette et qu'elle ressemblait à un joli pierrot.

— Qui donc ? demande Meaulnes.

— Eh bien, la fiancée que Frantz est allé chercher... »

Avant que le jeune homme ait rien pu dire, ils sont tous les trois arrivés à la porte d'une grande salle où flambe un beau feu. Des planches, en guise de table, ont été posées sur des tréteaux; on a étendu des nappes blanches, et des gens de toutes sortes dînent avec cérémonie.

CHAPITRE XIV

LA FÊTE ÉTRANGE (suite)

C'ÉTAIT, dans une grande salle au plafond bas, un repas comme ceux que l'on offre, la veille des noces de campagne, aux parents qui sont venus de très loin.

Les deux enfants avaient lâché les mains de l'écolier et s'étaient précipités dans une chambre attenante où l'on entendait des voix puériles et des bruits de cuillers battant les assiettes. Meaulnes, avec audace et sans s'émouvoir, enjamba un banc et se trouva assis auprès de deux vieilles paysannes. Il se mit aussitôt à manger avec un appétit féroce; et c'est au bout d'un instant seulement qu'il leva la tête pour regarder les convives et les écouter.

On parlait peu, d'ailleurs. Ces gens semblaient à peine se connaître. Ils devaient venir, les uns, du fond de la campagne, les autres, de villes lointaines. Il y avait, épars le long des tables, quelques vieillards avec des favoris, et d'autres complètement rasés qui pouvaient être d'anciens marins. Près d'eux dînaient d'autres vieux qui leur ressemblaient : même face tannée, mêmes yeux vifs sous des sourcils en broussaille, mêmes cravates étroites comme des cordons de souliers... Mais il était aisé de voir que ceux-ci n'avaient jamais navigué plus loin que le bout du canton; et s'ils avaient tangué, roulé plus de mille fois sous les averses et dans le vent, c'était pour ce dur voyage sans péril qui consiste à creuser le sillon jusqu'au bout de son champ et à retourner ensuite la charrue... On voyait peu de femmes; quelques vieilles paysannes avec de rondes figures ridées comme des pommes, sous des bonnets tuyautés.

Il n'y avait pas un seul de ces convives avec qui Meaulnes ne se sentît à l'aise et en confiance. Il expliquait ainsi plus tard cette impression : quand on a, disait-il, commis quelque lourde faute impardonnable, on songe parfois, au milieu d'une grande amertume : « Il y a pourtant par le monde des gens qui me pardonneraient ». On imagine de vieilles gens, des grands-parents pleins d'indulgence, qui sont persuadés à l'avance que tout ce que vous faites est bien fait. Certainement parmi ces bonnes gens-là les convives de cette salle avaient été choisis. Quant aux autres, c'étaient des adolescents et des enfants...

Cependant, auprès de Meaulnes, les deux vieilles femmes causaient :

« En mettant tout pour le mieux, disait la plus âgée, d'une voix cocasse et suraiguë qu'elle cherchait vainement à adoucir, les fiancés ne seront pas là, demain, avant trois heures.

— Tais-toi, tu me ferais mettre en colère », répondait l'autre du ton le plus tranquille.

Celle-ci portait sur le front une capeline tricotée.

« Comptons ! reprit la première sans s'émouvoir. Une heure et demie de chemin de fer de Bourges à Vierzon, et sept lieues de voiture, de Vierzon jusqu'ici... »

La discussion continua. Meaulnes n'en perdait pas une parole. Grâce à cette paisible prise de bec, la situation s'éclairait faiblement : Frantz de Galais, le fils du château — qui était étudiant ou marin ou peut-être aspirant de marine, on ne savait pas — était allé à Bourges pour y chercher une jeune fille et l'épouser. Chose étrange, ce garçon, qui devait être

très jeune et très fantasque, réglait tout à sa guise
dans le Domaine. Il avait voulu que la maison où
sa fiancée entrerait ressemblât à un palais en fête.
Et pour célébrer la venue de la jeune fille, il avait
invité lui-même ces enfants et ces vieilles gens débon-
naires. Tels étaient les points que la discussion des deux
femmes précisait. Elles laissaient tout le reste dans le
mystère, et reprenaient sans cesse la question du retour
des fiancés. L'une tenait pour le matin du lendemain.
L'autre pour l'après-midi.

« Ma pauvre Moinelle, tu es toujours aussi folle,
disait la plus jeune avec calme.

— Et toi, ma pauvre Adèle, toujours aussi entêtée.
Il y a quatre ans que je ne t'avais vue, tu n'as pas
changé », répondait l'autre en haussant les épaules,
mais de sa voix la plus paisible.

Et elles continuaient ainsi à se tenir tête sans la
moindre humeur. Meaulnes intervint dans l'espoir d'en
apprendre davantage :

« Est-elle aussi jolie qu'on le dit, la fiancée de
Frantz ? »

Elles le regardèrent, interloquées. Personne d'autre
que Frantz n'avait vu la jeune fille. Lui-même, en revenant de Toulon, l'avait rencontrée un soir, désolée,
dans un de ces jardins de Bourges qu'on appelle *les
Marais*. Son père, un tisserand, l'avait chassée de chez
lui. Elle était fort jolie et Frantz avait décidé aussitôt
de l'épouser. C'était une étrange histoire; mais son
père, M. de Galais, et sa sœur Yvonne ne lui avaient-ils
pas toujours tout accordé !...

Meaulnes, avec précaution, allait poser d'autres
questions, lorsque parut à la porte un couple charmant : une enfant de seize ans avec corsage de velours
et jupe à grands volants; un jeune personnage en
habit à haut col et pantalon à élastiques. Ils traversèrent la salle, esquissant un pas de deux; d'autres les
suivirent; puis d'autres passèrent en courant, poussant
des cris, poursuivis par un grand pierrot blafard, aux

manches trop longues, coiffé d'un bonnet noir et riant
d'une bouche édentée. Il courait à grandes enjambées
maladroites, comme si, à chaque pas, il eût dû faire
un saut, et il agitait ses longues manches vides. Les
jeunes filles en avaient un peu peur; les jeunes gens
lui serraient la main et il paraissait faire la joie des
enfants qui le poursuivaient avec des cris perçants. Au
passage il regarda Meaulnes de ses yeux vitreux, et
l'écolier crut reconnaître, complètement rasé, le compagnon de M. Maloyau, le bohémien qui tout à l'heure
accrochait les lanternes.

Le repas était terminé. Chacun se levait.

Dans les couloirs s'organisaient des rondes et des
farandoles. Une musique, quelque part, jouait un pas
de menuet... Meaulnes, la tête à demi cachée dans le
collet de son manteau, comme dans une fraise, se
sentait un autre personnage. Lui aussi, gagné par le
plaisir, se mit à poursuivre le grand pierrot à travers les couloirs du Domaine, comme dans les coulisses
d'un théâtre où la pantomime, de la scène, se fût partout répandue. Il se trouva ainsi mêlé jusqu'à la fin
de la nuit à une foule joyeuse aux costumes extrava-
gants. Parfois il ouvrait une porte, et se trouvait dans
une chambre où l'on montrait la lanterne magique.
Des enfants applaudissaient à grand bruit... Parfois,
dans un coin de salon où l'on dansait, il engageait
conversation avec quelque dandy et se renseignait
hâtivement sur les costumes que l'on porterait les
jours suivants...

Un peu angoissé à la longue par tout ce plaisir qui
s'offrait à lui, craignant à chaque instant que son
manteau entr'ouvert ne laissât voir sa blouse de collégien, il alla se réfugier un instant dans la partie la
plus paisible et la plus obscure de la demeure. On
n'y entendait que le bruit étouffé d'un piano.

Il entra dans une pièce silencieuse qui était une
salle à manger éclairée par une lampe à suspension.
Là aussi c'était fête, mais fête pour les petits enfants.

Les uns, assis sur des poufs, feuilletaient des albums ouverts sur leurs genoux; d'autres étaient accroupis par terre devant une chaise et, gravement, ils faisaient sur le siège un étalage d'images; d'autres, auprès du feu, ne disaient rien, ne faisaient rien, mais ils écoutaient au loin, dans l'immense demeure, la rumeur de la fête.

Une porte de cette salle à manger était grande ouverte. On entendait dans la pièce attenante jouer du piano. Meaulnes avança curieusement la tête. C'était une sorte de petit salon-parloir; une femme ou une jeune fille, un grand manteau marron jeté sur ses épaules, tournait le dos, jouant très doucement des airs de rondes ou de chansonnettes. Sur le divan, tout à côté, six ou sept petits garçons et petites filles rangés comme sur une image, sages comme le sont les enfants lorsqu'il se fait tard, écoutaient. De temps en temps seulement, l'un d'eux, arc-bouté sur les poignets, se soulevait, glissait à terre et passait dans la salle à manger : un de ceux qui avaient fini de regarder les images venait prendre sa place...

Après cette fête où tout était charmant, mais fiévreux et fou, où lui-même avait si follement poursuivi le grand pierrot, Meaulnes se trouvait là plongé dans le bonheur le plus calme du monde.

Sans bruit, tandis que la jeune fille continuait à jouer, il retourna s'asseoir dans la salle à manger, et, ouvrant un des gros livres rouges épars sur la table, il commença distraitement à lire.

Presque aussitôt un des petits qui étaient par terre s'approcha, se pendit à son bras et grimpa sur son genou pour regarder en même temps que lui; un autre en fit autant de l'autre côté. Alors ce fut un rêve comme son rêve de jadis. Il put imaginer longuement qu'il était dans sa propre maison, marié, un beau soir, et que cet être charmant et inconnu qui jouait du piano, près de lui, c'était sa femme...

CHAPITRE XV

LE lendemain matin, Meaulnes fut prêt un des premiers. Comme on le lui avait conseillé, il revêtit un simple costume noir, de mode passée, une jaquette serrée à la taille avec des manches bouffant aux épaules, un gilet croisé, un pantalon élargi du bas jusqu'à cacher ses fines chaussures, et un chapeau haut de forme.

La cour était déserte encore lorsqu'il descendit. Il fit quelques pas et se trouva comme transporté dans une journée de printemps. Ce fut en effet le matin le plus doux de cet hiver-là. Il faisait du soleil comme aux premiers jours d'avril. Le givre fondait et l'herbe mouillée brillait comme humectée de rosée. Dans les arbres, plusieurs petits oiseaux chantaient et de temps à autre une brise tiédie coulait sur le visage du promeneur.

Il fit comme les invités qui se sont éveillés avant le maître de la maison. Il sortit dans la cour du Domaine, pensant à chaque instant qu'une voix cordiale et joyeuse allait crier derrière lui :

« Déjà réveillé, Augustin ?... »

Mais il se promena longtemps seul à travers le jardin et la cour. Là-bas, dans le bâtiment principal, rien ne remuait, ni aux fenêtres, ni à la tourelle. On avait

ouvert déjà, cependant, les deux battants de la ronde
porte de bois. Et, dans une des fenêtres du haut, un
rayon de soleil donnait, comme en été, aux premières
heures du matin.

Meaulnes, pour la première fois, regardait en plein
jour l'intérieur de la propriété. Les vestiges d'un mur
séparaient le jardin délabré de la cour, où l'on avait,
depuis peu, versé du sable et passé le râteau. A l'extrémité des dépendances qu'il habitait, c'étaient des écuries bâties dans un amusant désordre, qui multipliait
les recoins garnis d'arbrisseaux fous et de vigne vierge.
Jusque sur le Domaine déferlaient des bois de sapins
qui le cachaient à tout le pays plat, sauf vers l'est,
où l'on apercevait des collines bleues couvertes de
rochers et de sapins encore.

Un instant, dans le jardin, Meaulnes se pencha sur
la branlante barrière de bois qui entourait le vivier;
vers les bords il restait un peu de glace mince et plis-
sée comme une écume. Il s'aperçut lui-même reflété dans
l'eau, comme incliné sur le ciel, dans son costume
d'étudiant romantique. Et il crut voir un autre
Meaulnes; non plus l'écolier qui s'était évadé dans une
carriole de paysan, mais un être charmant et romanesque, au milieu d'un beau livre de prix...

Il se hâta vers le bâtiment principal, car il avait
faim. Dans la grande salle où il avait dîné la veille,
une paysanne mettait le couvert. Dès que Meaulnes se
fut assis devant un des bols alignés sur la nappe, elle
lui versa le café en disant :

« Vous êtes le premier, monsieur ».

Il ne voulut rien répondre, tant il craignait d'être
soudain reconnu comme un étranger. Il demanda seulement à quelle heure partirait le bateau pour la
promenade matinale qu'on avait annoncée.

« Pas avant une demi-heure, monsieur : personne
n'est descendu encore », fut la réponse.

Il continua donc d'errer en cherchant le lieu de
l'embarcadère, autour de la longue maison châtelaine

aux ailes inégales, comme une église. Lorsqu'il eut
contourné l'aile sud, il aperçut soudain les roseaux,
à perte de vue, qui formaient tout le paysage. L'eau
des étangs venait de ce côté mouiller le pied des murs,
et il y avait, devant plusieurs portes, de petits balcons
de bois qui surplombaient les vagues clapotantes.

Désœuvré, le promeneur erra un long moment sur
la rive sablée comme un chemin de halage. Il examinait curieusement les grandes portes aux vitres pous-
siéreuses qui donnaient sur des pièces délabrées ou
abandonnées, sur des débarras encombrés de brouettes,
d'outils rouillés et de pots de fleurs brisés, lorsque
soudain, à l'autre bout des bâtiments, il entendit des
pas grincer sur le sable.

C'étaient deux femmes, l'une très vieille et courbée;
l'autre, une jeune fille, blonde, élancée, dont le charmant costume, après tous les déguisements de la veille,
parut d'abord à Meaulnes extraordinaire.

Elles s'arrêtèrent un instant pour regarder le
paysage, tandis que Meaulnes se disait, avec un étonnement qui lui parut plus tard bien grossier :

« Voilà sans doute ce qu'on appelle une jeune fille
excentrique — peut-être une actrice qu'on a mandée
pour la fête ».

Cependant, les deux femmes passaient près de lui
et Meaulnes, immobile, regarda la jeune fille. Souvent,
plus tard, lorsqu'il s'endormait après avoir désespérément essayé de se rappeler le beau visage effacé, il
voyait en rêve passer des rangées de jeunes femmes
qui ressemblaient à celle-ci. L'une avait un chapeau
comme elle et l'autre son air un peu penché; l'autre
son regard si pur; l'autre encore sa taille fine, et
l'autre avait aussi ses yeux bleus : mais aucune de ces
femmes n'était jamais la grande jeune fille.

Meaulnes eut le temps d'apercevoir, sous une lourde
chevelure blonde, un visage aux traits un peu courts,
mais dessinés avec une finesse presque douloureuse. Et
comme déjà elle était passée devant lui, il regarda sa

toilette, qui était bien la plus simple et la plus sage
des toilettes...

Perplexe, il se demandait s'il allait les accompagner,
lorsque la jeune fille, se tournant imperceptiblement
vers lui, dit à sa compagne :

« Le bateau ne va pas tarder, maintenant, je
pense ?... »

Et Meaulnes les suivit. La vieille dame, cassée, tremblante, ne cessait de causer gaiement et de rire. La
jeune fille répondait doucement. Et lorsqu'elles descendirent sur l'embarcadère, elle eut ce même regard
innocent et grave, qui semblait dire :

« Qui êtes-vous ? Que faites-vous ici ? Je ne vous
connais pas. Et pourtant il me semble que je vous
connais ».

D'autres invités étaient maintenant épars entre les
arbres, attendant. Et trois bateaux de plaisance
accostaient, prêts à recevoir les promeneurs. Un à un,
sur le passage des dames, qui paraissaient être la châtelaine et sa fille, les jeunes gens saluaient profondément, et les demoiselles s'inclinaient. Etrange matinée !
Etrange partie de plaisir ! Il faisait froid malgré le
soleil d'hiver, et les femmes enroulaient autour de
leur cou ces boas de plumes qui étaient alors à la
mode...

La vieille dame resta sur la rive, et, sans savoir comment, Meaulnes se trouva dans le même yacht que la jeune
châtelaine. Il s'accouda sur le pont, tenant d'une main
son chapeau battu par le grand vent, et il put regarder à l'aise la jeune fille, qui s'était assise à l'abri.
Elle aussi le regardait. Elle répondait à ses compagnes,
souriait, puis posait doucement ses yeux bleus sur lui,
en tenant sa lèvre un peu mordue.

Un grand silence régnait sur les berges prochaines.
Le bateau filait avec un bruit calme de machine et
d'eau. On eût pu se croire au cœur de l'été. On allait
aborder, semblait-il, dans le beau jardin de quelque
maison de campagne. La jeune fille s'y promènerait

sous une ombrelle blanche. Jusqu'au soir on entendrait les tourterelles gémir... Mais soudain une rafale
glacée venait rappeler décembre aux invités de cette
étrange fête.

On aborda devant un bois de sapins. Sur le débar-
cadère, les passagers durent attendre un instant, serrés les uns contre les autres, qu'un des bateliers eût
ouvert le cadenas de la barrière... Avec quel émoi
Meaulnes se rappelait dans la suite cette minute où,
sur le bord de l'étang, il avait eu très près du sien le
visage désormais perdu de la jeune fille ! Il avait
regardé ce profil si pur, de tous ses yeux, jusqu'à ce
qu'ils fussent près de s'emplir de larmes. Et il se rappelait avoir vu, comme un secret délicat qu'elle lui
eût confié, un peu de poudre restée sur sa joue...

A terre, tout s'arrangea comme dans un rêve. Tandis que les enfants couraient avec des cris de joie, que
des groupes se formaient et s'éparpillaient à travers
bois, Meaulnes s'avança dans une allée, où, dix pas
devant lui, marchait la jeune fille. Il se trouva près
d'elle sans avoir eu le temps de réfléchir :

« Vous êtes belle », dit-il simplement.

Mais elle hâta le pas et, sans répondre, prit une allée
transversale. D'autres promeneurs couraient, jouaient à
travers les avenues, chacun errant à sa guise, conduit
seulement par sa libre fantaisie. Le jeune homme se
reprocha vivement ce qu'il appelait sa balourdise, sa
grossièreté, sa sottise. Il errait au hasard, persuadé
qu'il ne reverrait plus cette gracieuse créature,
lorsqu'il l'aperçut soudain venant à sa rencontre et
forcée de passer près de lui dans l'étroit sentier. Elle
écartait de ses deux mains nues les plis de son grand
manteau. Elle avait des souliers noirs très découverts.
Ses chevilles étaient si fines qu'elles pliaient par
instants et qu'on craignait de les voir se briser.

Cette fois, le jeune homme salua, en disant très bas :
« Voulez-vous me pardonner ?

« — Je vous pardonne, dit-elle gravement. Mais il faut que je rejoigne les enfants, puisqu'ils sont les maîtres aujourd'hui. Adieu ».

Augustin la supplia de rester un instant encore. Il lui parlait avec gaucherie, mais d'un ton si troublé, si plein de désarroi, qu'elle marcha plus lentement et l'écouta.

« Je ne sais même pas qui vous êtes », dit-elle enfin.

Elle prononçait chaque mot d'un ton uniforme, en appuyant de la même façon sur chacun, mais en disant plus doucement le dernier... Ensuite elle reprenait son visage immobile, sa bouche un peu mordue, et ses yeux bleus regardaient fixement au loin.

« Je ne sais pas non plus votre nom », répondit Meaulnes.

Ils suivaient maintenant un chemin découvert, et l'on voyait à quelque distance les invités se presser autour d'une maison isolée dans la pleine campagne.

« Voici la « maison de Frantz », dit la jeune fille; il faut que je vous quitte... »

Elle hésita, le regarda un instant en souriant et dit :

« Mon nom ?... Je suis mademoiselle Yvonne de Galais... »

Et elle s'échappa.

La « maison de Frantz » était alors inhabitée. Mais Meaulnes la trouva envahie jusqu'aux greniers par la foule des invités. Il n'eut guère le loisir d'ailleurs d'examiner le lieu où il se trouvait : on déjeuna en hâte d'un repas froid emporté dans les bateaux, ce qui était fort peu de saison, mais les enfants en avaient décidé ainsi, sans doute; et l'on repartit. Meaulnes s'approcha de Mlle de Galais dès qu'il la vit sortir et, répondant à ce qu'elle avait dit tout à l'heure :

« Le nom que je vous donnais était plus beau, dit-il.

— Comment ? Quel était ce nom ? » fit-elle, toujours avec la même gravité.

Mais il eut peur d'avoir dit une sottise et ne répondit rien.

« Mon nom à moi est Augustin Meaulnes, continua-t-il, et je suis étudiant.

— Oh ! vous étudiez ? » dit-elle. Et ils parlèrent un instant encore. Ils parlèrent lentement, avec bonheur, — avec amitié. Puis l'attitude de la jeune fille changea. Moins hautaine et moins grave, maintenant, elle parut aussi plus inquiète. On eût dit qu'elle redoutait ce que Meaulnes allait dire et s'en effarouchait à l'avance. Elle était auprès de lui toute frémissante, comme une hirondelle un instant posée à terre et qui déjà tremble du désir de reprendre son vol.

« A quoi bon ? A quoi bon ? » répondait-elle doucement aux projets que faisait Meaulnes .

Mais lorsqu'enfin il osa lui demander la permission de revenir un jour vers ce beau domaine :

« Je vous attendrai », répondit-elle simplement.

Ils arrivaient en vue de l'embarcadère. Elle s'arrêta soudain et dit pensivement :

« Nous sommes deux enfants; nous avons fait une folie. Il ne faut pas que nous montions cette fois dans le même bateau. Adieu, ne me suivez pas ».

Meaulnes resta un instant interdit, la regardant partir. Puis il se reprit à marcher. Et alors la jeune fille, dans le lointain, au moment de se perdre à nouveau dans la foule des invités, s'arrêta et, se tournant vers lui, pour la première fois le regarda longuement. Etait-ce un dernier signe d'adieu ? Etait-ce pour lui défendre de l'accompagner ? Ou peut-être avait-elle quelque chose encore à lui dire ?...

Dès qu'on fut rentré au Domaine, commença, derrière la ferme, dans une grande prairie en pente, la course des poneys. C'était la dernière partie de la fête. D'après toutes les prévisions, les fiancés devaient arriver à temps pour y assister et ce serait Frantz qui dirigerait tout.

On dut pourtant commencer sans lui. Les garçons en costumes de jockeys, les fillettes en écuyères, amenaient, les uns, de fringants poneys enrubannés, les autres, de très vieux chevaux dociles. Au milieu des cris, des rires enfantins, des paris et des longs coups de cloche, on se fût cru transporté sur la pelouse verte et taillée de quelque champ de courses en miniature.

Meaulnes reconnut Daniel et les petites filles aux chapeaux à plumes, qu'il avait entendus la veille dans l'allée du bois... Le reste du spectacle lui échappa, tant il était anxieux de retrouver dans la foule le gracieux chapeau de roses et le grand manteau marron. Mais Mlle de Galais ne parut pas. Il la cherchait encore lorsqu'une volée de coups de cloche et des cris de joie annoncèrent la fin des courses. Une petite fille sur une vieille jument blanche avait remporté la victoire. Elle passait triomphalement sur sa monture et le panache de son chapeau flottait au vent.

Puis soudain tout se tut. Les jeux étaient finis et Frantz n'était pas de retour. On hésita un instant; on se concerta avec embarras. Enfin, par groupes, on regagna les appartements, pour attendre, dans l'inquiétude et le silence, le retour des fiancés.

CHAPITRE XVI

FRANTZ DE GALAIS

La course avait fini trop tôt. Il était quatre heures et
demie et il faisait jour encore, lorsque Meaulnes se
retrouva dans sa chambre, la tête pleine des événements
de son extraordinaire journée. Il s'assit devant la table,
désœuvré, attendant le dîner et la fête qui devait suivre.

De nouveau soufflait le grand vent du premier soir.
On l'entendait gronder comme un torrent ou passer
avec le sifflement appuyé d'une chute d'eau. Le tablier
de la cheminée battait de temps à autre.

Pour la première fois, Meaulnes sentit en lui cette
légère angoisse qui vous saisit à la fin des trop belles
journées. Un instant il pensa à allumer du feu; mais
il essaya vainement de lever le tablier rouillé de la
cheminée. Alors il se prit à ranger dans la chambre;
il accrocha ses beaux habits aux portemanteaux, dis-
posa le long du mur les chaises bouleversées, comme
s'il eût tout voulu préparer là pour un long séjour.

Cependant, songeant qu'il devait se tenir toujours
prêt à partir, il plia soigneusement sur le dossier d'une
chaise, comme un costume de voyage, sa blouse et ses
autres vêtements de collégien; sous la chaise, il mit ses
souliers ferrés pleins de terre encore.

Puis il revint s'asseoir et regarda autour de lui, plus
tranquille, sa demeure qu'il avait mise en ordre.

De temps à autre une goutte de pluie venait rayer
la vitre qui donnait sur la cour aux voitures et sur le
bois de sapins. Apaisé, depuis qu'il avait rangé son
appartement, le grand garçon se sentit parfaitement
heureux. Il était là, mystérieux, étranger, au milieu de
ce monde inconnu, dans la chambre qu'il avait choisie.
Ce qu'il avait obtenu dépassait toutes ses espérances.
Et il suffisait maintenant à sa joie de se rappeler ce
visage de jeune fille, dans le grand vent, qui se tournait
vers lui...

Durant cette rêverie, la nuit était tombée sans qu'il
songeât même à allumer les flambeaux. Un coup de
vent fit battre la porte de l'arrière-chambre qui communiquait avec la sienne et dont la fenêtre donnait
aussi sur la cour aux voitures. Meaulnes allait la refermer, lorsqu'il aperçut dans cette pièce une lueur,
comme celle d'une bougie allumée sur la table. Il
avança la tête dans l'entrebâillement de la porte. Quelqu'un était entré là, par la fenêtre sans doute, et se
promenait de long en large, à pas silencieux. Autant
qu'on pouvait voir, c'était un très jeune homme. Nu-
tête, une pèlerine de voyage sur les épaules, il marchait
sans arrêt, comme affolé par une douleur insupportable.
Le vent de la fenêtre qu'il avait laissée grande ouverte
faisait flotter sa pèlerine et, chaque fois qu'il passait
près de la lumière, on voyait luire des boutons dorés
sur sa fine redingote.

Il sifflait quelque chose entre ses dents, une espèce
d'air marin, comme en chantent, pour s'égayer le
cœur, les matelots et les filles dans les cabarets des
ports...

Un instant, au milieu de sa promenade agitée, il
s'arrêta et se pencha sur la table, chercha dans une
boîte, en sortit plusieurs feuilles de papier... Meaulnes
vit, de profil, dans la lueur de la bougie, un très fin,
très aquilin visage sans moustache sous une abondante
chevelure que partageait une raie de côté. Il avait

cessé de siffler. Très pâle, les lèvres entr'ouvertes, il paraissait à bout de souffle, comme s'il avait reçu au cœur un coup violent.

Meaulnes hésitait s'il allait, par discrétion, se retirer, ou s'avancer, lui mettre doucement, en camarade, la main sur l'épaule, et lui parler. Mais l'autre leva la tête et l'aperçut. Il le considéra une seconde, puis, sans s'étonner, s'approcha et dit, affermissant sa voix :

« Monsieur, je ne vous connais pas. Mais je suis content de vous voir. Puisque vous voici, c'est à vous que je vais expliquer... Voilà !... »

Il paraissait complètement désemparé. Lorsqu'il eut dit : « Voilà », il prit Meaulnes par le revers de sa jaquette, comme pour fixer son attention. Puis il tourna la tête vers la fenêtre, comme pour réfléchir à ce qu'il allait dire, cligna des yeux — et Meaulnes comprit qu'il avait une forte envie de pleurer.

Il ravala d'un coup toute cette peine d'enfant, puis, regardant toujours fixement la fenêtre, il reprit d'une voix altérée :

« Eh bien, voilà : c'est fini; la fête est finie. Vous pouvez descendre le leur dire. Je suis rentré tout seul. Ma fiancée ne viendra pas. Par scrupule, par crainte, par manque de foi... d'ailleurs, monsieur, je vais vous expliquer... »

Mais il ne put continuer; tout son visage se plissa. Il n'expliqua rien. Se détournant soudain, il s'en alla dans l'ombre ouvrir et refermer des tiroirs pleins de vêtements et de livres.

« Je vais m'apprêter pour repartir, dit-il. Qu'on ne me dérange pas ».

Il plaça sur la table divers objets, un nécessaire de toilette, un pistolet...

Et Meaulnes, plein de désarroi, sortit sans oser lui dire un mot ni lui serrer la main.

En bas, déjà, tout le monde semblait avoir pressenti quelque chose. Presque toutes les jeunes filles avaient changé de robe. Dans le bâtiment principal le dîner avait commencé, mais hâtivement, dans le désordre, comme à l'instant d'un départ.

Il se faisait un continuel va-et-vient de cette grande cuisine-salle à manger aux chambres du haut et aux écuries. Ceux qui avaient fini formaient des groupes où l'on se disait au revoir.

« Que se passe-t-il ? demanda Meaulnes à un garçon de campagne, qui se hâtait de terminer son repas, son chapeau de feutre sur la tête et sa serviette fixée à son gilet.

— Nous partons, répondit-il. Cela s'est décidé tout d'un coup. A cinq heures, nous nous sommes trouvés seuls, tous les invités ensemble. Nous avions attendu jusqu'à la dernière limite. Les fiancés ne pouvaient plus venir. Quelqu'un a dit : « Si nous partions... » Et tout le monde s'est apprêté pour le départ ».

Meaulnes ne répondit pas. Il lui était égal de s'en aller maintenant. N'avait-il pas été jusqu'au bout de son aventure ?... N'avait-il pas obtenu cette fois tout ce qu'il désirait ? C'est à peine s'il avait eu le temps de repasser à l'aise dans sa mémoire toute la belle conversation du matin. Pour l'instant, il ne s'agissait que de partir. Et bientôt, il reviendrait — sans tricherie, cette fois...

« Si vous voulez venir avec nous, continua l'autre, qui était un garçon de son âge, hâtez-vous d'aller vous mettre en tenue. Nous attelons dans un instant ».

Il partit au galop, laissant là son repas commencé et négligeant de dire aux invités ce qu'il savait. Le parc, le jardin et la cour étaient plongés dans une obscurité profonde. Il n'y avait pas, ce soir-là, de lanternes aux fenêtres. Mais comme, après tout, ce dîner ressemblait au dernier repas des fins de noces, les moins bons des invités, qui peut-être avaient bu, s'étaient mis à chanter. A mesure qu'il s'éloignait, Meaulnes entendait monter leurs airs de cabaret, dans ce parc qui depuis deux jours avait tenu tant de grâce et de mer-

veilles. Et c'était le commencement du désarroi et de
la dévastation. Il passa près du vivier où le matin même
il s'était miré. Comme tout paraissait changé déjà... —
avec cette chanson, reprise en chœur, qui arrivait par
bribes :

> *D'où donc que tu reviens, petite libertine ?*
> *Ton bonnet est déchiré*
> *Tu es bien mal coiffée...*

et cette autre encore :

> *Mes souliers sont rouges...*
> *Adieu, mes amours...*
> *Mes souliers sont rouges...*
> *Adieu, sans retour !*

Comme il arrivait au pied de l'escalier de sa demeure
isolée, quelqu'un en descendait qui le heurta dans
l'ombre et lui dit :
« Adieu, monsieur ! »
et, s'enveloppant dans sa pèlerine comme s'il avait
très froid, disparut. C'était Frantz de Galais.

La bougie que Frantz avait laissée dans sa chambre
brûlait encore. Rien n'avait été dérangé. Il y avait
seulement, écrits sur une feuille de papier à lettres
placée en évidence, ces mots :

> *Ma fiancée a disparu, me faisant dire qu'elle ne pou-*
> *vait pas être ma femme; qu'elle était une couturière et*
> *non pas une princesse. Je ne sais que devenir. Je m'en*
> *vais. Je n'ai plus envie de vivre. Qu'Yvonne me par-*
> *donne si je ne lui dis pas adieu, mais elle ne pourrait*
> *rien pour moi...*

C'était la fin de la bougie, dont la flamme vacilla,
rampa une seconde et s'éteignit. Meaulnes rentra dans

sa propre chambre et ferma la porte. Malgré l'obscurité,
il reconnut chacune des choses qu'il avait rangées en
plein jour, en plein bonheur, quelques heures auparavant. Pièce par pièce, fidèle, il retrouva tout son vieux
vêtement misérable, depuis ses godillots jusqu'à sa gros-
sière ceinture à boucle de cuivre. Il se déshabilla et
se rhabilla vivement, mais, distraitement, déposa sur
une chaise ses habits d'emprunt, se trompant de gilet.

Sous les fenêtres, dans la cour aux voitures, un
remue-ménage avait commencé. On tirait, on appelait,
on poussait, chacun voulant défaire sa voiture de l'inex-
tricable fouillis où elle était prise. De temps en temps
un homme grimpait sur le siège d'une charrette, sur
la bâche d'une grande carriole et faisait tourner sa
lanterne. La lueur du falot venait frapper la fenêtre :
un instant, autour de Meaulnes, la chambre maintenant
familière, où toutes choses avaient été pour lui si ami-
cales, palpitait, revivait... Et c'est ainsi qu'il quitta,
refermant soigneusement la porte, ce mystérieux endroit qu'il ne devait sans doute jamais revoir.

CHAPITRE XVII

LA FÊTE ÉTRANGE (*fin*)

DÉJA, dans la nuit, une file de voitures roulait lentement vers la grille du bois. En tête, un homme revêtu d'une peau de chèvre, une lanterne à la main, conduisait par la bride le cheval du premier attelage.

Meaulnes avait hâte de trouver quelqu'un qui voulût bien se charger de lui. Il avait hâte de partir. Il appréhendait, au fond du cœur, de se trouver soudain seul dans le Domaine, et que sa supercherie fût découverte.

Lorsqu'il arriva devant le bâtiment principal les conducteurs équilibraient la charge des dernières voitures. On faisait lever tous les voyageurs pour rapprocher ou reculer les sièges, et les jeunes filles enveloppées dans des fichus se levaient avec embarras, les couvertures tombaient à leurs pieds et l'on voyait les figures inquiètes de celles qui baissaient leur tête du côté des falots.

Dans un de ces voituriers, Meaulnes reconnut le jeune paysan qui tout à l'heure avait offert de l'emmener :

« Puis-je monter ? lui cria-t-il.

— Où vas-tu, mon garçon ? répondit l'autre qui ne le reconnaissait plus.

— Du côté de Sainte-Agathe.

— Alors il faut demander une place à Maritain ».

Et voilà le grand écolier cherchant parmi les voya-

geurs attardés ce Maritain inconnu. On le lui indiqua
parmi les buveurs qui chantaient dans la cuisine.

« C'est un « amusard », lui dit-on. Il sera encore là à
trois heures du matin ».

Meaulnes songea un instant à la jeune fille inquiète,
pleine de fièvre et de chagrin, qui entendrait chanter
dans le Domaine, jusqu'au milieu de la nuit, ces
paysans avinés. Dans quelle chambre était-elle ? Où
était sa fenêtre, parmi ces bâtiments mystérieux ? Mais
rien ne servirait à l'écolier de s'attarder. Il fallait partir.
Une fois rentré à Sainte-Agathe, tout deviendrait plus
clair; il cesserait d'être un écolier évadé; de nouveau
il pourrait songer à la jeune châtelaine.

Une à une, les voitures s'en allaient; les roues grin-
çaient sur le sable de la grande allée. Et, dans la nuit,
on les voyait tourner et disparaître, chargées de femmes
emmitouflées, d'enfants dans des fichus, qui déjà s'en-
dormaient. Une grande carriole encore; un char à
bancs, où les femmes étaient serrées épaule contre
épaule, passa, laissant Meaulnes interdit, sur le seuil
de la demeure. Il n'allait plus rester bientôt qu'une
vieille berline que conduisait un paysan en blouse.

« Vous pouvez monter, répondit-il aux explications
d'Augustin, nous allons dans cette direction ».

Péniblement Meaulnes ouvrit la portière de la vieille
guimbarde, dont la vitre trembla et les gonds crièrent.
Sur la banquette, dans un coin de la voiture, deux tout
petits enfants, un garçon et une fille, dormaient. Ils
s'éveillèrent au bruit et au froid, se détendirent, regardèrent vaguement, puis en frissonnant se renfon-
cèrent dans leur coin et se rendormirent...

Déjà la vieille voiture partait. Meaulnes referma plus
doucement la portière et s'installa avec précaution dans
l'autre coin; puis, avidement, s'efforça de distinguer à
travers la vitre les lieux qu'il allait quitter et la route
par où il était venu : il devina, malgré la nuit, que la
voiture traversait la cour et le jardin, passait devant
l'escalier de sa chambre, franchissait la grille et sortait

du Domaine pour entrer dans les bois. Fuyant le long de la vitre, on distinguait vaguement les troncs des vieux sapins.

« Peut-être rencontrerons-nous Frantz de Galais », se disait Meaulnes, le cœur battant.

Brusquement, dans le chemin étroit, la voiture fit un écart pour ne pas heurter un obstacle. C'était, autant qu'on pouvait deviner dans la nuit à ses formes massives, une roulotte arrêtée presque au milieu du chemin et qui avait dû rester là, à proximité de la fête, durant ces derniers jours.

Cet obstacle franchi, les chevaux repartis au trot, Meaulnes commençait à se fatiguer de regarder à la vitre, s'efforçant vainement de percer l'obscurité environnante, lorsque soudain, dans la profondeur du bois, il y eut un éclair, suivi d'une détonation. Les chevaux partirent au galop et Meaulnes ne sut pas d'abord si le cocher en blouse s'efforçait de les retenir ou, au contraire, les excitait à fuir. Il voulut ouvrir la portière. Comme la poignée se trouvait à l'extérieur, il essaya vainement de baisser la glace, la secoua... Les enfants, réveillés en peur, se serraient l'un contre l'autre, sans rien dire. Et tandis qu'il secouait la vitre, le visage collé au carreau, il aperçut, grâce à un coude du chemin, une forme blanche qui courait. C'était, mystery- hagard et affolé, le grand pierrot de la fête, le bohémien en tenue de mascarade, qui portait dans ses bras un corps humain serré contre sa poitrine. Puis tout disparut.

Dans la voiture qui fuyait au grand galop à travers la nuit, les deux enfants s'étaient rendormis. Personne à qui parler des événements mystérieux de ces deux jours. Après avoir longtemps repassé dans son esprit tout ce qu'il avait vu et entendu, plein de fatigue et le cœur gros, le jeune homme lui aussi s'abandonna au sommeil, comme un enfant triste...

... Ce n'était pas encore le petit jour lorsque, la

voiture s'étant arrêtée sur la route. Meaulnes fut réveillé par quelqu'un qui cognait à la vitre. Le conducteur ouvrit péniblement la portière et cria, tandis que
le vent froid de la nuit glaçait l'écolier jusqu'aux os :

« Il va falloir descendre ici. Le jour se lève. Nous
allons prendre la traverse. Vous êtes tout près de
Sainte-Agathe ».

A demi replié, Meaulnes obéit, chercha vaguement,
d'un geste inconscient, sa casquette, qui avait roulé sous
les pieds des deux enfants endormis, dans le coin le
plus sombre de la voiture, puis il sortit en se baissant.

« Allons, au revoir, dit l'homme en remontant sur
son siège. Vous n'avez plus que six kilomètres à faire.
Tenez, la borne est là, au bord du chemin ».

Meaulnes, qui ne s'était pas encore arraché de son
sommeil, marcha courbé en avant, d'un pas lourd,
jusqu'à la borne et s'y assit, les bras croisés, la tête
inclinée, comme pour se rendormir.

« Ah ! non, cria le voiturier. Il ne faut pas vous
endormir là. Il fait trop froid. Allons, debout, marchez
un peu... »

Vacillant comme un homme ivre, le grand garçon,
les mains dans ses poches, les épaules rentrées, s'en alla
lentement sur le chemin de Sainte-Agathe; tandis que,
dernier vestige de la fête mystérieuse, la vieille berline
quittait le gravier de la route et s'éloignait, cahotant
en silence, sur l'herbe de la traverse. On ne voyait plus
que le chapeau du conducteur, dansant au-dessus des
clôtures...

DEUXIÈME PARTIE

CHAPITRE PREMIER

LE GRAND JEU

Le grand vent et le froid, la pluie ou la neige, l'impossibilité où nous étions de mener à bien de longues recherches nous empêchèrent, Meaulnes et moi, de reparler du Pays perdu avant la fin de l'hiver. Nous ne pouvions rien commencer de sérieux, durant ces brèves journées de février, ces jeudis sillonnés de bourrasques, qui finissaient régulièrement vers cinq heures par une morne pluie glacée.

Rien ne nous rappelait l'aventure de Meaulnes sinon ce fait étrange que depuis l'après-midi de son retour nous n'avions plus d'amis. Aux récréations, les mêmes jeux qu'autrefois s'organisaient, mais Jasmin ne parlait jamais plus au grand Meaulnes. Les soirs, aussitôt la classe balayée, la cour se vidait comme au temps où j'étais seul, et je voyais errer mon compagnon, du jardin au hangar et de la cour à la salle à manger.

Les jeudis matins, chacun de nous installé sur le bureau d'une des deux salles de classe, nous lisions Rousseau et Paul-Louis Courier que nous avions dénichés dans les placards, entre des méthodes d'anglais et des cahiers de musique finement recopiés. L'après-midi, c'était quelque visite qui nous faisait fuir l'appartement; et nous regagnions l'école... Nous entendions parfois des groupes de grands élèves qui s'arrêtaient un instant, comme par hasard, devant le grand portail, le heurtaient en jouant à des jeux militaires incompréhensibles et puis s'en allaient... Cette triste vie se poursuivit jusqu'à la fin de février. Je commençais à croire que Meaulnes avait tout oublié, lorsqu'une aventure, plus étrange que les autres, vint me prouver que je m'étais trompé et qu'une crise violente se préparait sous la surface morne de cette vie d'hiver.

Ce fut justement un jeudi soir, vers la fin du mois, que la première nouvelle du Domaine étrange, la première vague de cette aventure dont nous ne reparlions pas arriva jusqu'à nous. Nous étions en pleine veillée. Mes grands-parents repartis, restaient seulement avec nous Millie et mon père, qui ne se doutaient nullement de la sourde fâcherie par quoi toute la classe était divisée en deux clans.

A huit heures, Millie qui avait ouvert la porte pour jeter dehors les miettes du repas fit :

« Ah ! »

d'une voix si claire que nous nous approchâmes pour regarder. Il y avait sur le seuil une couche de neige... Comme il faisait très sombre, je m'avançai de quelques pas dans la cour pour voir si la couche était profonde. Je sentis des flocons légers qui me glissaient sur la figure et fondaient aussitôt. On me fit rentrer très vite et Millie ferma la porte frileusement.

A neuf heures nous nous disposions à monter nous coucher; ma mère avait déjà la lampe à la main, lorsque nous entendîmes très nettement deux grands coups lancés à toute volée dans le portail, à l'autre bout de la cour. Elle replaça la lampe sur la table et nous restâmes tous debout, aux aguets, l'oreille tendue.

Il ne fallait pas songer à aller voir ce qui se passait. Avant d'avoir traversé seulement la moitié de la cour, la lampe eût été éteinte et le verre brisé. Il y eut un court silence et mon père commençait à dire que

« c'était sans doute... », lorsque, tout juste sous la fenêtre de la salle à manger, qui donnait, je l'ai dit, sur la route de La Gare, un coup de sifflet partit, strident et très prolongé, qui dut s'entendre jusque dans la rue de l'église. Et, immédiatement, derrière la fenêtre, à peine voilés par les carreaux, poussés par des gens qui devaient être montés à la force des poignets sur l'appui extérieur, éclatèrent des cris perçants.

« Amenez-le ! Amenez-le ! »

A l'autre extrémité du bâtiment, les mêmes cris répondirent. Ceux-là avaient dû passer par le champ du père Martin; ils devaient être grimpés sur le mur bas qui séparait le champ de notre cour.

Puis, vociférés à chaque endroit par huit ou dix inconnus aux voix déguisées, les cris de : « Amenez-le ! » éclatèrent successivement — sur le toit du cellier qu'ils avaient dû atteindre en escaladant un tas de fagots adossé au mur extérieur — sur un petit mur qui joignait le hangar au portail et dont la crête arrondie permettait de se mettre commodément à cheval — sur le mur grillé de la route de La Gare où l'on pouvait facilement monter... Enfin, par derrière, dans le jardin, une troupe retardataire arriva, qui fit la même sarabande, criant cette fois :

« A l'abordage ! »

Et nous entendions l'écho de leurs cris résonner dans les salles de classe vides, dont ils avaient ouvert les fenêtres.

Nous connaissions si bien, Meaulnes et moi, les détours et les passages de la grande demeure, que nous voyions très nettement, comme sur un plan, tous les points où ces gens inconnus étaient en train de l'attaquer.

A vrai dire, ce fut seulement au tout premier instant que nous eûmes de l'effroi. Le coup de sifflet nous fit penser tous les quatre à une attaque de rôdeurs et de bohémiens. Justement il y avait depuis une quinzaine, sur la place, derrière l'église, un grand malandrin

et un jeune garçon à la tête serrée dans des bandages.
Il y avait aussi, chez les charrons et les maréchaux,
des ouvriers qui n'étaient pas du pays.

Mais, dès que nous eûmes entendu les assaillants
crier, nous fûmes persuadés que nous avions affaire à
des gens — et probablement à des jeunes gens — du
bourg. Il y avait même certainement des gamins — on
reconnaissait leurs voix suraiguës — dans la troupe qui
se jetait à l'assaut de notre demeure comme à l'abordage d'un navire.

« Ah! bien, par exemple... » s'écria mon père.

Et Millie demanda à mi-voix :

« Mais qu'est-ce que cela veut dire ? »

lorsque soudain les voix du portail et du mur grillé
— puis celles de la fenêtre — s'arrêtèrent. Deux coups
de sifflet partirent derrière la croisée. Les cris des gens
grimpés sur le cellier, comme ceux des assaillants du
jardin, décrurent progressivement, puis cessèrent; nous
entendîmes, le long du mur de la salle à manger le
frôlement de toute la troupe qui se retirait en hâte
et dont les pas étaient amortis par la neige.

Quelqu'un évidemment les dérangeait. A cette heure
où tout dormait, ils avaient pensé mener en paix leur
assaut contre cette maison isolée à la sortie du bourg.
Mais voici qu'on troublait leur plan de campagne.

A peine avions-nous eu le temps de nous ressaisir —
car l'attaque avait été soudaine comme un abordage
bien conduit — et nous disposions-nous à sortir, que
nous entendîmes une voix connue appeler à la petite
grille :

« Monsieur Seurel ! Monsieur Seurel ! »

C'était M. Pasquier, le boucher. Le gros petit homme
racla ses sabots sur le seuil, secoua sa courte blouse
saupoudrée de neige et entra. Il se donnait l'air finaud
et effaré de quelqu'un qui a surpris tout le secret d'une
mystérieuse affaire :

« J'étais dans ma cour, qui donne sur la place des
Quatre-Routes. J'allais fermer l'étable des chevreaux.

Tout d'un coup, dressés sur la neige, qu'est-ce que je
vois : deux grands gars qui semblaient faire sentinelle
ou guetter quelque chose. Ils étaient vers la croix. Je
m'avance : je fais deux pas — Hip ! les voilà partis au
grand galop du côté de chez vous. Ah ! je n'ai pas
hésité, j'ai pris mon falot et j'ai dit : Je vas aller raconter ça à M. Seurel... »

Et le voilà qui recommence son histoire :

« J'étais dans la cour derrière chez moi.. » Sur ce,
on lui offre une liqueur, qu'il accepte, et on lui demande des détails qu'il est incapable de fournir.

Il n'avait rien vu en arrivant à la maison. Toutes
les troupes mises en éveil par les deux sentinelles qu'il
avait dérangées s'étaient éclipsées aussitôt. Quant à
dire qui ces estafettes pouvaient être...

« Ça pourrait bien être des bohémiens, avançait-il.
Depuis bientôt un mois qu'ils sont sur la place, à
attendre le beau temps pour jouer la comédie, ils ne
sont pas sans avoir organisé quelque mauvais coup ».

Tout cela ne nous avançait guère et nous restions
debout, fort perplexes, tandis que l'homme sirotait la
liqueur et de nouveau mimait son histoire, lorsque
Meaulnes, qui avait écouté jusque-là fort attentivement,
prit par terre le falot du boucher et décida :

« Il faut aller voir ! »

Il ouvrit la porte et nous le suivîmes, M. Seurel,
M. Pasquier et moi.

Millie, déjà rassurée, puisque les assaillants étaient
partis, et, comme tous les gens ordonnés et méticuleux,
fort peu curieuse de sa nature, déclara :

« Allez-y si vous voulez. Mais fermez la porte et
prenez la clef. Moi, je vais me coucher. Je laisserai la
lampe allumée ».

CHAPITRE II

NOUS TOMBONS DANS UNE EMBUSCADE

Nous partîmes sur la neige, dans un silence absolu. Meaulnes marchait en avant, projetant la lueur en éventail de sa lanterne grillagée... A peine sortions-nous par le grand portail que, derrière la bascule municipale, qui s'adossait au mur de notre préau, partirent d'un seul coup, comme perdreaux surpris, deux individus encapuchonnés. Soit moquerie, soit plaisir causé par l'étrange jeu qu'ils jouaient là, soit excitation nerveuse et peur d'être rejoints, ils dirent en courant deux ou trois paroles coupées de rires.

Meaulnes laissa tomber sa lanterne dans la neige, en me criant :

« Suis-moi,, François !... »

Et laissant là les deux hommes âgés incapables de soutenir une pareille course, nous nous lançâmes à la poursuite des deux ombres, qui, après avoir un instant contourné le bas du bourg, en suivant le chemin de la Vieille-Planche, remontèrent délibérément vers l'église. Ils couraient régulièrement sans trop de hâte et nous n'avions pas de peine à les suivre. Ils traversèrent la rue de l'église où tout était endormi et silencieux, et s'engagèrent derrière le cimetière dans un dédale de petites ruelles et d'impasses.

C'était là un quartier de journaliers, de couturières et de tisserands, qu'on nommait les Petits-Coins. Nous le connaissions assez mal et nous n'y étions jamais venus la nuit. L'endroit était désert le jour : les journaliers absents, les tisserands enfermés; et durant cette nuit de grand silence il paraissait plus abandonné, plus endormi encore que les autres quartiers du bourg. Il n'y avait donc aucune chance pour que quelqu'un survînt et nous prêtât main-forte.

Je ne connaissais qu'un chemin, entre ces petites maisons posées au hasard comme des boîtes en carton, c'était celui qui menait chez la couturière qu'on surnommait « la Muette ». On descendait d'abord une pente assez raide, dallée de place en place, puis après avoir tourné deux ou trois fois, entre des petites cours de tisserands ou des écuries vides, on arrivait dans une large impasse fermée par une cour de ferme depuis longtemps abandonnée. Chez la Muette, tandis qu'elle engageait avec ma mère une conversation silencieuse, les doigts frétillants, coupée seulement de petits cris d'infirme, je pouvais voir par la croisée le grand mur de la ferme, qui était la dernière maison de ce côté du faubourg, et la barrière toujours fermée de la cour sèche, sans paille, où jamais rien ne passait plus...

C'est exactement ce chemin que les deux inconnus suivirent. A chaque tournant nous craignions de les perdre, mais, à ma surprise, nous arrivions toujours au détour de la ruelle suivante avant qu'ils l'eussent quittée. Je dis : à ma surprise, car le fait n'eût pas été possible, tant ces ruelles étaient courtes, s'ils n'avaient pas, chaque fois, tandis que nous les avions perdus de vue, ralenti leur allure.

Enfin, sans hésiter, ils s'engagèrent dans la rue qui menait chez la Muette, et je criai à Meaulnes :

« Nous les tenons, c'est une impasse ! »

A vrai dire, c'étaient eux qui nous tenaient... Ils nous avaient conduits là où ils avaient voulu. Arrivés au mur, ils se retournèrent vers nous résolument et l'un des deux lança le même coup de sifflet que nous avions déjà par deux fois entendu, ce soir-là.

Aussitôt une dizaine de gars sortirent de la cour de

la ferme abandonnée où ils semblaient avoir été postés pour nous attendre. Ils étaient tous encapuchonnés, le visage enfoncé dans leurs cache-nez...

Qui c'était, nous le savions d'avance, mais nous étions bien résolus à n'en rien dire à M. Seurel, que nos affaires ne regardaient pas. Il y avait Delouche, Denis, Giraudat et tous les autres. Nous reconnûmes dans la lutte leur façon de se battre et leurs voix entrecoupées. Mais un point demeurait inquiétant et semblait presque effrayer Meaulnes : il y avait là quelqu'un que nous ne connaissions pas et qui paraissait être le chef...

Il ne touchait pas Meaulnes : il regardait manœuvrer ses soldats qui avaient fort à faire et qui, traînés dans la neige, déguenillés du haut en bas, s'acharnaient contre le grand gars essoufflé. Deux d'entre eux s'étaient occupés de moi, m'avaient immobilisé avec peine, car je me débattais comme un diable. J'étais par terre, les genoux pliés, assis sur les talons; on me tenait les bras joints par derrière, et je regardais la scène avec une intense curiosité mêlée d'effroi.

Meaulnes s'était débarrassé de quatre garçons du Cours qu'il avait dégrafés de sa blouse en tournant vivement sur lui-même et en les jetant à toute volée dans la neige... Bien droit sur ses deux jambes, le personnage inconnu suivait avec intérêt, mais très calme, la bataille, répétant de temps à autre d'une voix nette :

« Allez... Courage... Revenez-y... *Go on, my boys...* »

C'était évidemment lui qui commandait... D'où venait-il? Où et comment les avait-il entraînés à la bataille! Voilà qui restait un mystère pour nous. Il avait, comme les autres, le visage enveloppé dans un cache-nez, mais lorsque Meaulnes, débarrassé de ses adversaires, s'avança vers lui, menaçant, le mouvement qu'il fit pour y voir bien clair et faire face à la situation découvrit un morceau de linge blanc qui lui enveloppait la tête à la façon d'un bandage.

C'est à ce moment que je criai à Meaulnes :

« Prends garde par derrière! Il y en a un autre ».

Il n'eut pas le temps de se retourner que, de la
barrière à laquelle il tournait le dos, un grand diable
avait surgi et, passant habilement son cache-nez autour
du cou de mon ami, le renversait en arrière. Aussitôt
les quatre adversaires de Meaulnes qui avaient piqué
le nez dans la neige revenaient à la charge pour lui
immobiliser bras et jambes, lui liaient les bras avec
une corde, les jambes avec un cache-nez, et le jeune
personnage à la tête bandée fouillait dans ses poches...
Le dernier venu, l'homme au lasso, avait allumé une
petite bougie qu'il protégeait de la main, et chaque
fois qu'il découvrait un papier nouveau, le chef allait
auprès de ce lumignon examiner ce qu'il contenait.
Il déplia enfin cette espèce de carte couverte d'inscrip-
tions à laquelle Meaulnes travaillait depuis son retour
et s'écria avec joie :

« Cette fois nous l'avons. Voilà le plan ! Voilà le
guide ! Nous allons voir si ce monsieur est bien allé
où je l'imagine... »

Son acolyte éteignit la bougie. Chacun ramassa sa
casquette ou sa ceinture. Et tous disparurent silencieusement comme ils étaient venus, me laissant libre de
délier en hâte mon compagnon.

« Il n'ira pas très loin avec ce plan-là », dit Meaulnes
en se levant.

Et nous repartîmes lentement, car il boitait un peu.
Nous retrouvâmes sur le chemin de l'église M. Seurel
et le père Pasquier :

« Vous n'avez rien vu ? dirent-ils... Nous non plus ! »

Grâce à la nuit profonde ils ne s'aperçurent de rien.
Le boucher nous quitta et M. Seurel rentra bien vite
se coucher.

Mais nous deux, dans notre chambre, là-haut, à la
lueur de la lampe que Millie nous avait laissée, nous
restâmes longtemps à rafistoler nos blouses décousues,
discutant à voix basse sur ce qui nous était arrivé,
comme deux compagnons d'armes le soir d'une bataille
perdue...

CHAPITRE III

LE BOHÉMIEN A L'ÉCOLE

Le réveil du lendemain fut pénible. A huit heures et demie, à l'instant où M. Seurel allait donner le signal d'entrer, nous arrivâmes tout essoufflés pour nous mettre sur les rangs. Comme nous étions en retard, nous nous glissâmes n'importe où, mais d'ordinaire le grand Meaulnes était le premier de la longue file d'élèves, coude à coude, chargés de livres, de cahiers et de porte-plume, que M. Seurel inspectait.

Je fus surpris de l'empressement silencieux que l'on mit à nous faire place vers le milieu de la file; et tandis que M. Seurel, retardant de quelques secondes l'entrée au cours, inspectait le grand Meaulnes, j'avançai curieusement la tête, regardant à droite et à gauche pour voir les visages de nos ennemis de la veille.

Le premier que j'aperçus était celui-là même auquel je ne cessais de penser, mais le dernier que j'eusse pu m'attendre à voir en ce lieu. Il était à la place habituelle de Meaulnes, le premier de tous, un pied sur la marche de pierre, une épaule et le coin du sac qu'il avait sur le dos accotés au chambranle de la porte. Son visage fin, très pâle, un peu piqué de rousseur, était penché et tourné vers nous avec une sorte de curiosité méprisante et amusée. Il avait la tête et tout un côté de la figure bandés de linge blanc. Je reconnaissais le chef de bande, le jeune bohémien qui nous avait volés, la nuit précédente.

Mais déjà nous entrions dans la classe et chacun prenait sa place. Le nouvel élève s'assit près du poteau, à la gauche du long banc dont Meaulnes occupait, à droite, la première place. Giraudat, Delouche et les trois autres du premier banc s'étaient serrés les uns contre les autres pour lui faire place, comme si tout eût été convenu d'avance...

Souvent, l'hiver, passaient ainsi parmi nous des élèves de hasard, mariniers pris par les glaces dans le canal, apprentis, voyageurs immobilisés par la neige. Ils restaient au cours deux jours, un mois, rarement plus... Objets de curiosité durant la première heure, ils étaient aussitôt négligés et disparaissaient bien vite dans la foule des élèves ordinaires.

Mais celui-ci ne devait pas se faire aussitôt oublier. Je me rappelle encore cet être singulier et tous les trésors étranges apportés dans ce cartable qu'il s'accrochait au dos. Ce furent d'abord les porte-plume « à vue » qu'il tira pour écrire sa dictée. Dans un œillet du manche, en fermant un œil, on voyait apparaître, trouble et grossie, la basilique de Lourdes ou quelque monument inconnu. Il en choisit un et les autres aussitôt passèrent de main en main. Puis ce fut un plumier chinois rempli de compas et d'instruments amusants qui s'en allèrent par le banc de gauche, glissant silencieusement, sournoisement, de main en main, sous les casiers, pour que M. Seurel ne pût rien voir.

Passèrent aussi des livres tout neufs, dont j'avais, avec convoitise, lu les titres derrière la couverture des rares bouquins de notre bibliothèque : *La Teppe aux Merles*, *La Roche aux Mouettes*, *Mon ami Benoist*... Les uns feuilletaient d'une main sur leurs genoux ces volumes, venus on ne savait d'où, volés peut-être, et écrivaient la dictée de l'autre main. D'autres faisaient tourner les compas au fond de leurs casiers. D'autres, brusquement, tandis que M. Seurel tournant le dos continuait la dictée en marchant du bureau à la fenêtre, fermaient un œil et se collaient l'autre sur la vue

glauque et trouée de Notre-Dame de Paris. Et l'élève
étranger, la plume à la main, son fin profil contre le
poteau gris, clignait des yeux, content de tout ce jeu
furtif qui s'organisait autour de lui.

Peu à peu cependant toute la classe s'inquiéta : les
objets, qu'on « faisait passer » à mesure, arrivaient l'un
après l'autre dans les mains du grand Meaulnes qui,
négligemment, sans les regarder, les posait auprès de
lui. Il y en eut bientôt un tas, mathématique et diver-
sement coloré, comme aux pieds de la femme qui re-
présente la Science, dans les compositions allégoriques.
Fatalement M. Seurel allait découvrir ce déballage insolite et s'apercevoir du manège. Il devait songer,
d'ailleurs, à faire une enquête sur les événements de la
nuit. La présence du bohémien allait faciliter sa besogne...

Bientôt, en effet, il s'arrêtait, surpris, devant le grand
Meaulnes.

« A qui appartient tout cela ? demanda-t-il en dési-
gnant « tout cela » du dos de son livre refermé sur son
index.

— Je n'en sais rien », répondit Meaulnes d'un ton
bourru, sans lever la tête.

Mais l'écolier inconnu intervint :

« C'est à moi », dit-il.

Et il ajouta aussitôt, avec un geste large et élégant
de jeune seigneur auquel le vieil instituteur ne sut pas
résister :

« Mais je les mets à votre disposition, monsieur, si
vous voulez regarder ».

Alors, en quelques secondes, sans bruit, comme pour
ne pas troubler le nouvel état de choses qui venait de
se créer, toute la classe se glissa curieusement autour
du maître qui penchait sur ce trésor sa tête demi-
chauve, demi-frisée, et du jeune personnage blême qui
donnait avec un air de triomphe tranquille les explications nécessaires. Cependant, silencieux à son banc,
complètement délaissé, le grand Meaulnes avait ouvert

son cahier de brouillons et, fronçant le sourcil, s'absorbait dans un problème difficile.

Le « quart d'heure » nous surprit dans ces occupations. La dictée n'était pas finie et le désordre régnait dans la classe. A vrai dire, depuis le matin la récréation durait.

A dix heures et demie, donc, lorsque la cour sombre et boueuse fut envahie par les élèves, on s'aperçut bien vite qu'un nouveau maître régnait sur les jeux.

De tous les plaisirs nouveaux que le bohémien, dès ce matin-là, introduisit chez nous, je ne me rappelle que le plus sanglant : c'était une espèce de tournoi où les chevaux étaient les grands élèves chargés des plus jeunes grimpés sur leurs épaules.

Partagés en deux groupes qui partaient des deux bouts de la cour, ils fondaient les uns sur les autres, cherchant à terrasser l'adversaire par la violence du choc, et les cavaliers, usant de cache-nez comme de lassos, ou de leurs bras tendus comme de lances, s'efforçaient de désarçonner leurs rivaux. Il y en eut dont on esquivait le choc et qui, perdant l'équilibre, allaient s'étaler dans la boue, le cavalier roulant sous sa monture. Il y eut des écoliers à moitié désarçonnés que le cheval rattrapait par les jambes et qui, de nouveau acharnés à la lutte, regrimpaient sur ses épaules. Monté sur le grand Delage qui avait des membres démesurés, le poil roux et les oreilles décollées, le mince cavalier à la tête bandée excitait les deux troupes rivales et dirigeait malignement sa monture en riant aux éclats.

Augustin, debout sur le seuil de la classe, regardait d'abord avec mauvaise humeur s'organiser ces jeux. Et j'étais auprès de lui, indécis.

« C'est un malin, dit-il entre ses dents, les mains dans les poches. Venir ici, dès ce matin, c'était le seul moyen de n'être pas soupçonné. Et M. Seurel s'y est laissé prendre ! »

Il resta là un long moment, sa tête rase au vent à

maugréer contre ce comédien qui allait faire assommer
tous ces gars dont il avait été peu de temps auparavant le capitaine. Et, enfant paisible que j'étais, je ne
manquais pas de l'approuver.

Partout, dans tous les coins, en l'absence du maître,
se poursuivait la lutte : les plus petits avaient fini par
grimper les uns sur les autres; ils couraient et culbu-
taient avant même d'avoir reçu le choc de l'adversaire...
Bientôt il ne resta plus debout, au milieu de la cour,
qu'un groupe acharné et tourbillonnant d'où surgissait
par moments le bandeau blanc du nouveau chef.

Alors le grand Meaulnes ne sut plus résister. Il baissa
la tête, mit ses mains sur ses cuisses et me cria :

« Allons-y, François ! »

Surpris par cette décision soudaine, je sautai pourtant sans hésiter sur ses épaules et en une seconde nous
étions au fort de la mêlée, tandis que la plupart des
combattants, éperdus, fuyaient en criant :

« Voilà Meaulnes ! Voilà le grand Meaulnes ! »

Au milieu de ceux qui restaient il se mit à tourner
sur lui-même en me disant :

« Etends les bras : empoigne-les comme j'ai fait cette
nuit ».

Et moi, grisé par la bataille, certain du triomphe,
j'agrippais au passage les gamins qui se débattaient,
oscillaient un instant sur les épaules des grands et
tombaient dans la boue. En moins de rien il ne resta
debout que le nouveau venu monté sur Delage; mais
celui-ci, peu désireux d'engager la lutte avec Augustin,
d'un violent coup de reins en arrière se redressa et fit
descendre le cavalier blanc.

La main à l'épaule de sa monture, comme un capitaine tient le mors de son cheval, le jeune garçon debout par terre regarda le grand Meaulnes avec un peu
de saisissement et une immense admiration :

« A la bonne heure ! » dit-il.

Mais aussitôt la cloche sonna, dispersant les élèves
qui s'étaient rassemblés autour de nous dans l'attente

d'une scène curieuse. Et Meaulnes, dépité de n'avoir pu jeter à terre son ennemi, tourna le dos en disant, avec mauvaise humeur :

« Ce sera pour une autre fois ! »

Jusqu'à midi la classe continua comme à l'approche des vacances, mêlée d'intermèdes amusants et de conversations dont l'écolier-comédien était le centre.

Il expliquait comment, immobilisés par le froid sur la place, ne songeant pas même à organiser des représentations nocturnes où personne ne viendrait, ils avaient décidé que lui-même irait au cours pour se distraire pendant la journée, tandis que son compagnon soignerait les oiseaux des Iles et la chèvre savante. Puis il racontait leurs voyages dans le pays environnant, alors que l'averse tombe sur le mauvais toit de zinc de la voiture et qu'il faut descendre aux côtes pour pousser à la roue. Les élèves du fond quittaient leur table pour venir écouter de plus près. Les moins romanesques profitaient de cette occasion pour se chauffer autour du poêle. Mais bientôt la curiosité les gagnait et ils se rapprochaient du groupe bavard en tendant l'oreille, laissant une main posée sur le couvercle du poêle pour y garder leur place.

« Et de quoi vivez-vous ? » demanda M. Seurel, qui suivait tout cela avec sa curiosité un peu puérile de maître d'école et qui posait une foule de questions.

Le garçon hésita un instant, comme si jamais il ne s'était inquiété de ce détail.

« Mais, répondit-il, de ce que nous avons gagné l'automne précédent, je pense. C'est Ganache qui règle les comptes ».

Personne ne lui demanda qui était Ganache. Mais moi je pensai au grand diable qui, traîtreusement, la veille au soir, avait attaqué Meaulnes par derrière et l'avait renversé...

CHAPITRE IV

OÙ IL EST QUESTION DU DOMAINE MYSTÉRIEUX

L'APRÈS-MIDI ramena les mêmes plaisirs et, tout le long du cours, le même désordre et la même fraude. Le bohémien avait apporté d'autres objets précieux, coquillages, jeux, chansons, et jusqu'à un petit singe qui griffait sourdement l'intérieur de sa gibecière... A chaque instant il fallait que M. Seurel s'interrompît pour examiner ce que le malin garçon venait de tirer de son sac... Quatre heures arrivèrent et Meaulnes était le seul à avoir fini ses problèmes.

Ce fut sans hâte que tout le monde sortit. Il n'y avait plus, semblait-il, entre les heures de cours et de récréation, cette dure démarcation qui faisait la vie scolaire simple et réglée comme par la succession de la nuit et du jour. Nous oubliâmes même de désigner comme d'ordinaire à M. Seurel, vers quatre heures moins dix, les deux élèves qui devaient rester pour balayer la classe. Or, nous n'y manquions jamais, car c'était une façon d'annoncer et de hâter la sortie du cours.

Le hasard voulut que ce fût ce jour-là le tour du grand Meaulnes; et dès le matin j'avais, en causant avec lui, averti le bohémien que les nouveaux étaient toujours désignés d'office pour faire le second balayeur, le jour de leur arrivée.

Meaulnes revint en classe dès qu'il eut été chercher

le pain de son goûter. Quant au bohémien, il se fit
longtemps attendre et arriva le dernier, en courant,
comme la nuit commençait de tomber...

« Tu resteras dans la classe, m'avait dit mon compagnon, et pendant que je le tiendrai, tu lui reprendras
le plan qu'il m'a volé ».

Je m'étais donc assis sur une petite table, auprès de
la fenêtre, lisant à la dernière lueur du jour, et je les
vis tous les deux déplacer en silence les bancs de
l'école — le grand Meaulnes, taciturne et l'air dur, sa
blouse noire boutonnée à trois boutons en arrière et
sanglée à la ceinture; l'autre, délicat, nerveux, la tête
bandée comme un blessé. Il était vêtu d'un mauvais
paletot, avec des déchirures que je n'avais pas remar-
quées pendant le jour. Plein d'une ardeur presque sauvage, il soulevait et poussait les tables avec une précipitation folle, en souriant un peu. On eût dit qu'il
jouait là quelque jeu extraordinaire dont nous ne
connaissions pas le fin mot.

Ils arrivèrent ainsi dans le coin le plus obscur de la
salle, pour déplacer la dernière table.

En cet endroit, d'un tour de main, Meaulnes pouvait renverser son adversaire, sans que personne du
dehors eût chance de les apercevoir ou de les entendre
par les fenêtres. Je ne comprenais pas qu'il laissât
échapper une pareille occasion. L'autre, revenu près
de la porte, allait s'enfuir d'un instant à l'autre, pré-
textant que la besogne était terminée, et nous ne le
reverrions plus. Le plan et tous les renseignements que
Meaulnes avait mis si longtemps à retrouver, à conci-
lier, à réunir, seraient perdus pour nous...

A chaque seconde j'attendais de mon camarade un
signe, un mouvement, qui m'annonçât le début de la
bataille, mais le grand garçon ne bronchait pas. Par
instants, seulement, il regardait avec une fixité étrange
et d'un air interrogatif le bandeau du bohémien, qui,
dans la pénombre de la tombée de la nuit, paraissait
largement taché de noir.

La dernière table fut déplacée sans que rien arrivât.

Mais au moment où, remontant tous les deux vers le haut de la classe, ils allaient donner sur le seuil un dernier coup de balai, Meaulnes, baissant la tête, et sans regarder notre ennemi, dit à mi-voix :

« Votre bandeau est rouge de sang et vos habits sont déchirés ».

L'autre le regarda un instant, non pas surpris de ce qu'il disait, mais profondément ému de le lui entendre dire.

« Ils ont voulu, répondit-il, m'arracher votre plan tout à l'heure, sur la place. Quand ils ont su que je voulais revenir ici balayer la classe, ils ont compris que j'allais faire la paix avec vous, ils se sont révoltés contre moi. Mais je l'ai tout de même sauvé », ajouta-t-il fièrement, en tendant à Meaulnes le précieux papier plié.

Meaulnes se tourna lentement vers moi :

« Tu entends ? dit-il. Il vient de se battre et de se faire blesser pour nous, tandis que nous lui tendions un piège ! »

Puis cessant d'employer ce « vous » insolite chez des écoliers de Sainte-Agathe :

« Tu es un vrai camarade », dit-il, et il lui tendit la main.

Le comédien la saisit et demeura sans parole une seconde, très troublé, la voix coupée... Mais bientôt avec une curiosité ardente il poursuivit :

« Ainsi vous me tendiez un piège ! Que c'est amusant ! Je l'avais deviné et je me disais : ils vont être bien étonnés, quand, m'ayant repris ce plan, ils s'apercevront que je l'ai complété...

— Complété ?

— Oh! attendez! Pas entièrement... »

Quittant ce ton enjoué, il ajouta gravement et lentement, se rapprochant de nous :

« Meaulnes, il est temps que je vous le dise : **moi**

aussi je suis allé là où vous avez été. J'assistais à cette
fête extraordinaire. J'ai bien pensé, quand les garçons
du Cours m'ont parlé de votre aventure mystérieuse,
qu'il s'agissait du vieux Domaine perdu. Pour m'en
assurer je vous ai volé votre carte... Mais je suis comme
vous : j'ignore le nom de ce château; je ne saurais pas
y retourner; je ne connais pas en entier le chemin qui
d'ici vous y conduirait ».

Avec quel élan, avec quelle intense curiosité, avec
quelle amitié nous nous pressâmes contre lui ! Avidement Meaulnes lui posait des questions... Il nous semblait à tous deux qu'en insistant ardemment auprès de
notre nouvel ami, nous lui ferions dire cela même qu'il
prétendait ne pas savoir. *claim*

« Vous verrez, vous verrez, répondait le jeune garçon avec un peu d'ennui et d'embarras, je vous ai mis
sur le plan quelques indications que vous n'aviez pas...
C'est tout ce que je pouvais faire ».

Puis, nous voyant plein d'admiration et d'enthousiasme :

« Oh ! dit-il tristement et fièrement, je préfère vous
avertir : je ne suis pas un garçon comme les autres. Il
y a trois mois, j'ai voulu me tirer une balle dans la
tête et c'est ce qui vous explique ce bandeau sur le
front, comme un mobile de la Seine, en 1870...

— Et ce soir. en vous battant, la plaie s'est rouverte », dit Meaulnes avec amitié.

Mais l'autre, sans y prendre garde, poursuivit d'un
ton légèrement emphatique :

— Je voulais mourir. Et puisque je n'ai pas réussi,
je ne continuerai à vivre que pour l'amusement,
comme un enfant, comme un bohémien. J'ai tout abandonné. Je n'ai plus ni père, ni sœur, ni maison, ni
amour... Plus rien, que des compagnons de jeux.

— Ces compagnons-là vous ont déjà trahi, dis-je.

— Oui, répondit-il avec animation. C'est la faute
d'un certain Delouche. Il a deviné que j'allais faire
cause commune avec vous. Il a démoralisé ma troupe qui

était si bien en main. Vous avez vu cet abordage, hier au soir, comme c'était conduit, comme ça marchait ! Depuis mon enfance, je n'avais rien organisé d'aussi réussi... »

Il resta songeur un instant, et il ajouta pour nous désabuser tout à fait sur son compte :

« Si je suis venu vers vous deux, ce soir, c'est que — je m'en suis aperçu ce matin — il y a plus de plaisir à prendre avec vous qu'avec la bande de tous les autres. C'est ce Delouche surtout qui me déplaît. Quelle idée de faire l'homme à dix-sept ans ! Rien ne me dégoûte davantage... Pensez-vous que nous puissions le repincer ?

— Certes, dit Meaulnes. Mais resterez-vous long-temps avec nous ?

— Je ne sais. Je le voudrais beaucoup. Je suis terri-blement seul. Je n'ai que Ganache... »

Toute sa fièvre, tout son enjouement étaient tom-bés soudain. Un instant, il plongea dans ce même désespoir où sans doute, un jour, l'idée de se tuer l'avait surpris.

« Soyez mes amis, dit-il soudain. Voyez : je connais votre secret et je l'ai défendu contre tous. Je puis vous remettre sur la trace que vous avez per-due... »

Et il ajouta presque solennellement :

« Soyez mes amis pour le jour où je serais encore à deux doigts de l'enfer comme une fois déjà... Jurez-moi que vous répondrez quand je vous appellerai — quand je vous appellerai ainsi... (et il poussa une sorte de cri étrange : Hou-ou !...) Vous, Meaulnes, jurez d'abord ! »

Et nous jurâmes, car, enfants que nous étions, tout ce qui était plus solennel et plus sérieux que nature nous séduisait.

« En retour, dit-il, voici maintenant tout ce que je puis vous dire : je vous indiquerai la maison de Paris où la jeune fille du château avait l'habitude de passer les fêtes : Pâques et la Pentecôte, le mois de juin et quelquefois une partie de l'hiver ».

A ce moment une voix inconnue appela du grand portail, à plusieurs reprises, dans la nuit. Nous devinâmes que c'était Ganache, le bohémien, qui n'osait pas ou ne savait comment traverser la cour. D'une voix pressante, anxieuse, il appelait tantôt très haut, tantôt presque bas :

« Hou-ou ! Hou-ou !

— Dites ! Dites vite ! » cria Meaulnes au jeune bohémien qui avait tressailli et qui rajustait ses habits pour partir.

Le jeune garçon nous donna rapidement une adresse à Paris, que nous répétâmes à mi-voix. Puis il courut, dans l'ombre, rejoindre son compagnon à la grille, nous laissant dans un état de trouble inexprimable.

CHAPITRE V

L'HOMME AUX ESPADRILLES

CETTE nuit-là, vers trois heures du matin, la veuve Delouche, l'aubergiste, qui habitait dans le milieu du bourg, se leva pour allumer son feu. Dumas, son beau-frère, qui habitait chez elle, devait partir en route à quatre heures, et la triste bonne femme, dont la main droite était recroquevillée par une brûlure ancienne, se hâtait dans la cuisine obscure pour préparer le café. Il faisait froid. Elle mit sur sa camisole un vieux fichu, puis tenant d'une main sa bougie allumée, abritant la flamme de l'autre main — la mauvaise — avec son tablier levé, elle traversa la cour encombrée de bouteilles vides et de caisses à savon, ouvrit pour y prendre du petit bois la porte du bûcher qui servait de cabane aux poules... Mais à peine avait-elle poussé la porte que, d'un coup de casquette si violent qu'il fit ronfler l'air, un individu surgissant de l'obscurité profonde éteignit la chandelle, abattit du même coup la bonne femme et s'enfuit à toutes jambes, tandis que les poules et les coqs affolés menaient un tapage infernal.

L'homme emportait dans un sac — comme la veuve Delouche retrouvant son aplomb s'en aperçut un instant plus tard — une douzaine de ses poulets les plus beaux.

Aux cris de sa belle-sœur, Dumas était accouru. Il

constata que le chenapan, pour entrer, avait dû ouvrir
avec une fausse clef la porte de la petite cour et qu'il
s'était enfui, sans la refermer, par le même chemin.
Aussitôt, en homme habitué aux braconniers et aux
chapardeurs, il alluma le falot de sa voiture, et le prenant d'une main, son fusil chargé de l'autre, il
s'efforça de suivre la trace du voleur, trace très impré-
cise — l'individu devait être chaussé d'espadrilles —
qui le mena sur la route de La Gare puis se perdit
devant la barrière d'un pré. Forcé d'arrêter là ses
recherches, il releva la tête, s'arrêta... et entendit au
loin, sur la même route, le bruit d'une voiture lancée
au grand galop, qui s'enfuyait...

De son côté, Jasmin Delouche, le fils de la veuve,
s'était levé et, jetant en hâte un capuchon sur ses
épaules, il était sorti en chaussons pour inspecter le
bourg. Tout dormait, tout était plongé dans l'obscurité
et le silence profond qui précèdent les premières
lueurs du jour. Arrivé aux Quatre-Routes, il entendit seulement — comme son oncle — très loin, sur la
colline des Riaudes, le bruit d'une voiture dont le cheval devait galoper les quatre pieds levés. Garçon malin
et fanfaron, il se dit alors, comme il nous le répéta
par la suite avec l'insupportable grasseyement des faubourgs de Montluçon :

« Ceux-là sont partis vers La Gare, mais il n'est pas
dit que je n'en « chaufferai » pas d'autres, de l'autre
côté du bourg ».

Et il rebroussa chemin vers l'église, dans le même
silence nocturne.

Sur la place, dans la roulotte des bohémiens, il y
avait une lumière. Quelqu'un de malade sans doute.
Il allait s'approcher, pour demander ce qui était arrivé,
lorsqu'une ombre silencieuse, une ombre chaussée
d'espadrilles, déboucha des Petits-Coins et accourut au
galop, sans rien voir, vers le marchepied de la voiture...

Jasmin, qui avait reconnu l'allure de Ganache,

s'avança soudain dans la lumière et demanda à mi-voix :

« Eh bien ! Qu'y a-t-il ?

Hagard, échevelé, édenté, l'autre s'arrêta, le regarda, avec un rictus misérable causé par l'effroi et la suffocation, et répondit d'une haleine hachée :

« C'est le compagnon qui est malade... Il s'est battu hier soir et sa blessure s'est rouverte... Je viens d'aller chercher la sœur ».

En effet, comme Jasmin Delouche, fort intrigué, rentrait chez lui pour se recoucher, il rencontra, vers le milieu du bourg, une religieuse qui se hâtait.

Au matin, plusieurs habitants de Sainte-Agathe sortirent sur le seuil de leurs portes avec les mêmes yeux bouffis et meurtris par une nuit sans sommeil. Ce fut, chez tous, un cri d'indignation et, par le bourg, comme une traînée de poudre.

Chez Giraudat, on avait entendu, vers deux heures du matin, une carriole qui s'arrêtait et dans laquelle on chargeait en hâte des paquets qui tombaient mollement. Il n'y avait, dans la maison, que deux femmes et elles n'avaient pas osé bouger. Au jour, elles avaient compris, en ouvrant la basse-cour, que les paquets en question étaient les lapins et la volaille... Millie, durant la première récréation, trouva devant la porte de la buanderie plusieurs allumettes à demi brûlées. On en conclut qu'ils étaient mal renseignés sur notre demeure et n'avaient pu entrer... Chez Perreux, chez Boujardon et chez Clément, on crut d'abord qu'ils avaient volé aussi les cochons, mais on les retrouva dans la matinée, occupés à déterrer des salades, dans différents jardins. Tout le troupeau avait profité de l'occasion et de la porte ouverte pour faire une petite promenade nocturne... Presque partout on avait enlevé la volaille; mais on s'en était tenu là. Mme Pignot, la boulangère, qui ne faisait pas d'élevage, cria bien toute la journée qu'on lui avait volé son battoir et une livre d'indigo, mais le fait ne fut jamais prouvé, ni inscrit sur le procès-verbal...

Cet affolement, cette crainte, ce bavardage durèrent tout le matin. En classe, Jasmin raconta son aventure de la nuit :

« Ah ! ils sont malins, disait-il. Mais si mon oncle en avait rencontré un, il l'a bien dit : Je le fusillais comme un lapin ! »

Et il ajoutait en nous regardant :

« C'est heureux qu'il n'ait pas rencontré Ganache, il était capable de tirer dessus. C'est tous la même race, qu'il dit, et Dessaigne le disait aussi ».

Personne cependant ne songeait à inquiéter nos nouveaux amis. C'est le lendemain soir seulement que Jasmin fit remarquer à son oncle que Ganache, comme leur voleur, était chaussé d'espadrilles. Ils furent d'accord pour trouver qu'il valait la peine de dire cela aux gendarmes. Ils décidèrent donc, en grand secret, d'aller dès leur premier loisir au chef-lieu de canton prévenir le brigadier de la gendarmerie.

Durant les jours qui suivirent, le jeune bohémien, malade de sa blessure légèrement rouverte, ne parut pas.

Sur la place de l'église, le soir, nous allions rôder, rien que pour voir sa lampe derrière le rideau rouge de la voiture. Pleins d'angoisse et de fièvre, nous restions là, sans oser approcher de l'humble bicoque, qui nous paraissait être le mystérieux passage et l'antichambre du Pays dont nous avions perdu le chemin.

CHAPITRE VI

UNE DISPUTE DANS LA COULISSE

TANT d'anxiétés et de troubles divers, durant ces jours passés, nous avaient empêchés de prendre garde que mars était venu et que le vent avait molli. Mais le troisième jour après cette aventure, en descendant, le matin, dans la cour, brusquement je compris que c'était le printemps. Une brise délicieuse comme une eau tiédie coulait par-dessus le mur; une pluie silencieuse avait mouillé la nuit les feuilles des pivoines; la terre remuée du jardin avait un goût puissant, et j'entendais, dans l'arbre voisin de la fenêtre, un oiseau qui essayait d'apprendre la musique...

Meaulnes, à la première récréation, parla d'essayer tout de suite l'itinéraire qu'avait précisé l'écolier-bohémien. A grand'peine je lui persuadai d'attendre que nous eussions revu notre ami, que le temps fût sérieusement au beau... que tous les pruniers de Sainte-Agathe fussent en fleur. Appuyés contre le mur bas de la petite ruelle, les mains aux poches et nu-tête, nous parlions et le vent tantôt nous faisait frissonner de froid, tantôt, par bouffées de tiédeur, réveillait en nous je ne sais quel vieil enthousiasme profond. Ah! frère, compagnon, voyageur, comme nous étions persuadés, tous deux, que le bonheur était proche, et qu'il allait suffire de se mettre en chemin pour l'atteindre !...

A midi et demi, pendant le déjeuner, nous entendîmes un roulement de tambour sur la place des
Quatre-Routes. En un clin d'œil, nous étions sur le
seuil de la petite grille, nos serviettes à la main...
C'était Ganache qui annonçait pour le soir, à huit
heures, « vu le beau temps », une grande représentation sur la place de l'église. A tout hasard, « pour se
prémunir contre la pluie », une tente serait dressée.
Suivait un long programme des attractions, que le vent
emporta, mais où nous pûmes distinguer vaguement
« pantomimes... chansons... fantaisies équestres... », le
tout scandé par de nouveaux roulements de tambour.

Pendant le dîner du soir, la grosse caisse, pour
annoncer la séance, tonna sous nos fenêtres et fit trembler les vitres. Bientôt après, passèrent, avec un bourdonnement de conversations, les gens des faubourgs,
par petits groupes, qui s'en allaient vers la place de
l'église. Et nous étions là, tous deux, forcés de rester
à table, trépignant d'impatience !

Vers neuf heures, enfin, nous entendîmes des frotte-
ments de pieds et des rires étouffés à la petite grille :
les institutrices venaient nous chercher. Dans l'obscurité complète nous partîmes en bande vers le lieu de
la comédie. Nous apercevions de loin le mur de l'église
illuminé comme par un grand feu. Deux quinquets
allumés devant la porte de la baraque ondulaient au
vent...

A l'intérieur, des gradins étaient aménagés comme
dans un cirque. M. Seurel, les institutrices, Meaulnes
et moi, nous nous installâmes sur les bancs les plus
bas. Je revois ce lieu, qui devait être fort étroit,
comme un cirque véritable, avec de grandes nappes
d'ombre où s'étageaient Mme Pignot, la boulangère,
et Fernande, l'épicière, les filles du bourg, les ouvriers
maréchaux, des dames, des gamins, des paysans,
d'autres gens encore.

La représentation était avancée plus qu'à moitié. On
voyait sur la piste une petite chèvre savante qui bien

docilement mettait ses pieds sur quatre verres, puis
sur deux, puis sur un seul. C'était Ganache qui la
commandait doucement, à petits coups de baguette,
en regardant vers nous d'un air inquiet, la bouche ouverte, les yeux morts.

Assis sur un tabouret, près de deux autres quinquets, à l'endroit où la piste communiquait avec la
roulotte, nous reconnûmes, en fin maillot noir, front
bandé, le meneur de jeu, notre ami.

A peine étions-nous assis que bondissait sur la piste
un poney tout harnaché à qui le jeune personnage
blessé fit faire plusieurs tours, et qui s'arrêtait toujours
devant l'un de nous lorsqu'il fallait désigner la personne la plus aimable ou la plus brave de la société;
mais toujours devant Mme Pignot lorsqu'il s'agissait
de découvrir la plus menteuse, la plus avare ou « la
plus amoureuse... » Et c'étaient autour d'elle des rires,
des cris et des coin-coin, comme dans un troupeau
d'oies que pourchasse un épagneul!...

A l'entracte, le meneur de jeu vint s'entretenir un
instant avec M. Seurel, qui n'eût pas été plus fier
d'avoir parlé à Talma ou à Léotard; et nous, nous
écoutions avec un intérêt passionné tout ce qu'il
disait : de sa blessure — refermée; de ce spectacle —
préparé durant les longues journées d'hiver; de leur
départ — qui ne serait pas avant la fin du mois, car
ils pensaient donner jusque-là des représentations va-
riées et nouvelles.

Le spectacle devait se terminer par une grande pantomime.

Vers la fin de l'entracte, notre ami nous quitta, et,
pour regagner l'entrée de la roulotte, fut obligé de
traverser un groupe qui avait envahi la piste et au
milieu duquel nous aperçûmes soudain Jasmin
Delouche. Les femmes et les filles s'écartèrent. Ce
costume noir, cet air blessé, étrange et brave, les
avaient toutes séduites. Quant à Jasmin, qui paraissait
revenir à cet instant d'un voyage, et qui s'entretenait à

voix basse mais animée avec Mme Pignot, il était évident qu'une cordelière, un col bas et des pantalons-éléphant eussent fait plus sûrement sa conquête... Il se tenait les pouces au revers de son veston, dans une attitude à la fois très fate et très gênée. Au passage du bohémien, dans un mouvement de dépit, il dit à haute voix à Mme Pignot quelque chose que je n'entendis pas, mais certainement une injure, un mot provocant à l'adresse de notre ami. Ce devait être une menace grave et inattendue, car le jeune homme ne put s'empêcher de se retourner et de regarder l'autre, qui, pour ne pas perdre contenance, ricanait, poussait ses voisins du coude, comme pour les mettre de son côté... Tout ceci se passa d'ailleurs en quelques secondes. Je fus sans doute le seul de mon banc à m'en apercevoir.

Le meneur de jeu rejoignit son compagnon derrière le rideau qui masquait l'entrée de la roulotte. Chacun regagna sa place sur les gradins, croyant que la deuxième partie du spectacle allait aussitôt commencer, et un grand silence s'établit. Alors, derrière le rideau, tandis que s'apaisaient les dernières conversations à voix basse, un bruit de dispute monta. Nous n'entendions pas ce qui était dit, mais nous reconnûmes les deux voix, celle du grand gars et celle du jeune homme — la première qui expliquait, qui se justifiait; l'autre qui gourmandait, avec indignation et tristesse à la fois :

« Mais malheureux! disait celle-ci, pourquoi ne m'avoir pas dit... »

Et nous ne distinguions pas la suite, bien que tout le monde prêtât l'oreille. Puis tout se tut soudainement. L'altercation se poursuivit à voix basse; et les gamins des hauts gradins commencèrent à crier :

« Les lampions, le rideau! »

et à frapper du pied.

CHAPITRE VII

LE BOHÉMIEN ENLÈVE SON BANDEAU

ENFIN glissa lentement, entre les rideaux, la face
— sillonnée de rides, tout écarquillée tantôt par la
gaieté tantôt par la détresse, et semée de pains à cache-
ter! — d'un long pierrot en trois pièces mal articulées,
recroquevillé sur son ventre comme par une colique,
marchant sur la pointe des pieds comme par excès de
prudence et de crainte, les mains empêtrées dans des
manches trop longues qui balayaient la piste.

Je ne saurais plus reconstituer aujourd'hui le sujet
de sa pantomime. Je me rappelle seulement que dès
son arrivée dans le cirque, après s'être vainement et
désespérément retenu sur les pieds, il tomba. Il eut
beau se relever; c'était plus fort que lui : il tombait.
Il ne cessait pas de tomber. Il s'embarrassait dans
quatre chaises à la fois. Il entraînait dans sa chute
une table énorme qu'on avait apportée sur la piste. Il
finit par aller s'étaler par delà la barrière du cirque
jusque sur les pieds des spectateurs. Deux aides, raco-
lés dans le public à grand'peine, le tiraient par les
pieds et le remettaient debout après d'inconcevables
efforts. Et chaque fois qu'il tombait, il poussait un
petit cri, varié chaque fois, un petit cri insupportable,
où la détresse et la satisfaction se mêlaient à doses
égales. Au dénouement, grimpé sur un échafaudage
de chaises, il fit une chute immense et très lente, et

son ululement de triomphe strident et misérable durait aussi longtemps que sa chute, accompagné par les cris d'effroi des femmes.

Durant la seconde partie de sa pantomime, je revois, sans bien m'en rappeler la raison, « le pauvre pierrot qui tombe » sortant d'une de ses manches une petite poupée bourrée de son et mimant avec elle toute une scène tragi-comique. En fin de compte, il lui faisait sortir par la bouche tout le son qu'elle avait dans le ventre. Puis, avec de petits cris pitoyables, il la remplissait de bouillie et, au moment de la plus grande attention, tandis que tous les spectateurs, la lèvre pendante, avaient les yeux fixés sur la fille visqueuse et crevée du pauvre pierrot, il la saisit soudain par un bras et la lança à toute volée, à travers les spectateurs, sur la figure de Jasmin Delouche, dont elle ne fit que mouiller l'oreille, pour aller ensuite s'aplatir sur l'estomac de Mme Pignot, juste au-dessous du menton. La boulangère poussa un tel cri, elle se renversa si fort en arrière et toutes ses voisines l'imitèrent si bien que le banc se rompit, et la boulangère, Fernande, la triste veuve Delouche et vingt autres s'effondrèrent, les jambes en l'air, au milieu des rires, des cris et des applaudissements, tandis que le grand clown, abattu la face contre terre, se relevait pour saluer et dire :

« Nous avons, messieurs et mesdames, l'honneur de vous remercier ! »

Mais à ce moment même et au milieu de l'immense brouhaha, le grand Meaulnes, silencieux depuis le début de la pantomime et qui semblait plus absorbé de minute en minute, se leva brusquement, me saisit par le bras, comme incapable de se contenir, et me cria :

« Regarde le bohémien ! Regarde ! Je l'ai enfin reconnu ».

Avant même d'avoir regardé, comme si depuis longtemps, inconsciemment, cette pensée couvait en moi et n'attendait que l'instant d'éclore, j'avais deviné ! Debout auprès d'un quinquet, à l'entrée de la roulotte, le jeune personnage inconnu avait défait son bandeau et jeté sur ses épaules une pèlerine. On voyait, dans la lueur fumeuse, comme naguère à la lumière de la bougie, dans la chambre du Domaine, un très fin, très aquilin visage sans moustache. Pâle, les lèvres entr'ouvertes, il feuilletait hâtivement une sorte de petit album rouge qui devait être un atlas de poche. Sauf une cicatrice qui lui barrait la tempe et disparaissait sous la masse des cheveux, c'était, tel que me l'avait décrit minutieusement le grand Meaulnes, le fiancé du Domaine inconnu.

Il était évident qu'il avait ainsi enlevé son bandage pour être reconnu de nous. Mais à peine le grand Meaulnes avait-il fait ce mouvement et poussé ce cri, que le jeune homme rentrait dans la roulotte, après nous avoir jeté un coup d'œil d'entente et nous avoir souri, avec une vague tristesse, comme il souriait d'ordinaire.

« Et l'autre! disait Meaulnes avec fièvre, comment ne l'ai-je pas reconnu tout de suite! C'est le pierrot de la fête, là-bas... »

Et il descendit les gradins pour aller vers lui. Mais déjà Ganache avait coupé toutes les communications avec la piste; un à un il éteignait les quatre quinquets du cirque, et nous étions obligés de suivre la foule qui s'écoulait très lentement, canalisée entre les bancs parallèles, dans l'ombre où nous piétinions d'impatience.

Dès qu'il fut dehors enfin, le grand Meaulnes se précipita vers la roulotte, escalada le marchepied, frappa à la porte, mais tout était clos déjà. Déjà sans doute, dans la voiture à rideaux comme dans celle du poney, de la chèvre et des oiseaux savants, tout le monde était rentré et commençait à dormir.

CHAPITRE VIII

LES GENDARMES!

Il nous fallut rejoindre la troupe de messieurs et de dames qui revenaient vers le Cours Supérieur, par les rues obscures. Cette fois nous comprenions tout. Cette grande silhouette blanche que Meaulnes avait vue, le dernier soir de la fête, filer entre les arbres, c'était Ganache, qui avait recueilli le fiancé désespéré et s'était enfui avec lui. L'autre avait accepté cette existence sauvage, pleine de risques, de jeux et d'aventures. Il lui avait semblé recommencer son enfance...

Frantz de Galais nous avait jusqu'ici caché son nom et il avait feint d'ignorer le chemin du Domaine, par peur sans doute d'être forcé de rentrer chez ses parents; mais pourquoi, ce soir-là, lui avait-il plu soudain de se faire connaître à nous et de nous laisser deviner la vérité tout entière?...

Que de projets le grand Meaulnes ne fit-il pas, tandis que la troupe des spectateurs s'écoulait lentement à travers le bourg. Il décida que, dès le lendemain matin, qui était un jeudi, il irait trouver Frantz. Et, tous les deux, ils partiraient pour là-bas! Quel voyage sur la route mouillée! Frantz expliquerait tout; tout s'arrangerait, et la merveilleuse aventure allait reprendre là où elle s'était interrompue...

Quant à moi je marchais dans l'obscurité avec un gonflement de cœur indéfinissable. Tout se mêlait pour

contribuer à ma joie, depuis le faible plaisir que donnait l'attente du jeudi jusqu'à la très grande découverte que nous venions de faire, jusqu'à la très grande
chance qui nous était échue. Et je me souviens que, dans
ma soudaine générosité de cœur, je m'approchai de la
plus laide des filles du notaire à qui l'on m'imposait
parfois le supplice d'offrir mon bras, et spontanément
je lui donnai la main.

Amers souvenirs ! Vains espoirs écrasés !

Le lendemain, dès huit heures, lorsque nous débou-
châmes tous les deux sur la place de l'église, avec nos
souliers bien cirés, nos plaques de ceinturons bien asti-
quées et nos casquettes neuves, Meaulnes, qui jusque-là
se retenait de sourire en me regardant, poussa un cri
et s'élança vers la place vide... Sur l'emplacement de
la baraque et des voitures, il n'y avait plus qu'un pot
cassé et des chiffons. Les bohémiens étaient partis...

Un petit vent qui nous parut glacé soufflait. Il me
semblait qu'à chaque pas nous allions buter sur le
sol caillouteux et dur de la place et que nous allions
tomber. Meaulnes, affolé, fit deux fois le mouvement
de s'élancer, d'abord sur la route du Vieux-Nançay,
puis sur la route de Saint-Loup-des-Bois. Il mit sa
main au-dessus de ses yeux, espérant un instant que
nos gens venaient seulement de partir. Mais que faire ?
Dix traces de voitures s'embrouillaient sur la place,
puis s'effaçaient sur la route dure. Il fallut rester là,
inertes.

Et tandis que nous revenions, à travers le village
où la matinée du jeudi commençait, quatre gendarmes
à cheval, avertis par Delouche la veille au soir, débou-
chèrent au galop sur la place et s'éparpillèrent à travers les rues pour garder toutes les issues, comme des
dragons qui font la reconnaissance d'un village...
Mais il était trop tard. Ganache, le voleur de poulets,
avait fui avec son compagnon. Les gendarmes ne re-
trouvèrent personne, ni lui, ni ceux-là qui chargeaient
dans des voitures les chapons qu'il étranglait. Prévenu

à temps par le mot imprudent de Jasmin, Frantz avait dû comprendre soudain de quel métier son compagnon et lui vivaient, quand la caisse de la roulotte était vide; plein de honte et de fureur, il avait arrêté aussitôt un itinéraire et décidé de prendre du champ avant l'arrivée des gendarmes. Mais, ne craignant plus désormais qu'on tentât de le ramener au domaine de son père, il avait voulu se montrer à nous sans bandage, avant de disparaître.

Un seul point resta toujours obscur : comment Ganache avait-il pu à la fois dévaliser les basses-cours et quérir la bonne sœur pour la fièvre de son ami? Mais n'était-ce pas là toute l'histoire du pauvre diable? Voleur et chemineau d'un côté, bonne créature de l'autre...

CHAPITRE IX

COMME nous rentrions, le soleil dissipait la légère brume du matin; les ménagères sur le seuil des maisons secouaient leurs tapis ou bavardaient; et, dans les champs et les bois, aux portes du bourg, commençait la plus radieuse matinée de printemps qui soit restée dans ma mémoire.

Tous les grands élèves du cours devaient arriver vers huit heures, ce jeudi-là, pour préparer, durant la matinée, les uns le Certificat d'Etudes Supérieures, les autres le concours de l'Ecole Normale. Lorsque nous arrivâmes tous les deux, Meaulnes plein d'un regret et d'une agitation qui ne lui permettaient pas de rester immobile, moi très abattu, l'école était vide... Un rayon de frais soleil glissait sur la poussière d'un banc vermoulu, et sur le vernis écaillé d'un planisphère.

Comment rester là, devant un livre, à ruminer notre déception, tandis que tout nous appelait au-dehors : les poursuites des oiseaux dans les branches près des fenêtres, la fuite des autres élèves vers les prés et les bois, et surtout le fiévreux désir d'essayer au plus vite l'itinéraire incomplet vérifié par le bohémien — dernière ressource de notre sac presque vide, dernière clef du trousseau, après avoir essayé toutes les autres ?... Cela était au-dessus de nos forces ! Meaulnes marchait de long en large, allait auprès des fenêtres, regardait dans le jardin, puis revenait et regardait vers le bourg, comme s'il eût attendu quelqu'un qui ne viendrait certainement pas.

« J'ai l'idée, me dit-il enfin, j'ai l'idée que ce n'est peut-être pas aussi loin que nous l'imaginons...

» Frantz a supprimé sur mon plan toute une portion de la route que j'avais indiquée.

» Cela veut dire, peut-être, que la jument a fait, pendant mon sommeil, un long détour inutile... »

J'étais à moitié assis sur le coin d'une grande table, un pied par terre, l'autre ballant, l'air découragé et désœuvré, la tête basse.

« Pourtant, dis-je, au retour, dans la berline, ton voyage a duré toute la nuit.

— Nous étions partis à minuit, répondit-il vivement. On m'a déposé à quatre heures du matin, à environ six kilomètres à l'ouest de Sainte-Agathe, tandis que j'étais parti par la route de La Gare à l'est. Il faut donc compter ces six kilomètres en moins entre Sainte-Agathe et le pays perdu.

» Vraiment, il me semble qu'en sortant du bois des Communaux, on ne doit pas être à plus de deux lieues de ce que nous cherchons.

— Ce sont précisément ces deux lieues là qui manquent sur ta carte.

— C'est vrai. Et la sortie du bois est bien à une lieue et demie d'ici, mais pour un bon marcheur, cela peut se faire en une matinée... »

A cet instant Mouchebœuf arriva. Il avait une tendance irritante à se faire passer pour bon élève, non pas en travaillant mieux que les autres, mais en se signalant dans des circonstances comme celle-ci.

« Je savais bien, dit-il triomphant, ne trouver que vous deux. Tous les autres sont partis pour le bois des Communaux. En tête : Jasmin Delouche qui connaît les nids ».

Et, voulant faire le bon apôtre, il commença à racon-

ter tout ce qu'ils avaient dit pour narguer le Cours,
M. Seurel et nous, en décidant cette expédition.

« S'ils sont au bois, je les verrai sans doute en passant, dit Meaulnes, car je m'en vais aussi. Je serai de
retour vers midi et demi ».

Mouchebœuf resta ébahi.

« Ne viens-tu pas ? » me demanda Augustin, s'arrê-
tant une seconde sur le seuil de la porte entr'ouverte
— ce qui fit entrer dans la pièce grise, en une bouffée
d'air tiédi par le soleil, un fouillis de cris, d'appels.
de pépiements, le bruit d'un seau sur la margelle du
puits et le claquement d'un fouet au loin.

« Non, dis-je, bien que la tentation fût forte, je ne
puis pas, à cause de M. Seurel. Mais hâte-toi. Je
t'attendrai avec impatience ».

Il fit un geste vague et partit, très vite, plein d'espoir.

Lorsque M. Seurel arriva, vers dix heures. il avait
quitté sa veste d'alpaga noir, revêtu un paletot de
pêcheur aux vastes poches boutonnées, un chapeau de
paille et de courtes jambières vernies pour serrer le
bas de son pantalon. Je crois bien qu'il ne fut guère
surpris de ne trouver personne. Il ne voulut pas entendre Mouchebœuf qui lui répéta trois fois que les
gars avaient dit :

« S'il a besoin de nous, qu'il vienne donc nous
chercher ! »

Et il commanda :

« Serrez vos affaires, prenez vos casquetttes, et nous
allons les dénicher à notre tour... Pourras-tu marcher
jusque-là, François ? »

J'affirmai que oui et nous partîmes.

Il fut entendu que Mouchebœuf conduirait M. Seurel
et lui servirait d'appeau... C'est-à-dire que, connaissant
les futaies où se trouvaient les dénicheurs, il devait de
temps à autre crier à toute voix :

« Hop ! Holà ! Giraudat ! Delouche ! Où êtes-vous ?...
Y en a-t-il ?... En avez-vous trouvé ?... »

Quant à moi, je fus chargé, à mon vif plaisir, de suivre la lisière est du bois, pour le cas où les écoliers fugitifs chercheraient à s'échapper de ce côté.

Or, dans le plan rectifié par le bohémien et que nous avions maintes fois étudié avec Meaulnes, il semblait qu'un chemin à un trait, un *chemin de terre,* partît de cette lisière du bois pour aller dans la direction du Domaine. Si j'allais le découvrir ce matin !... Je commençai à me persuader que, avant midi, je me trouverais sur le chemin du manoir perdu...

La merveilleuse promenade !... Dès que nous eûmes passé le Glacis et contourné le Moulin, je quittai mes deux compagnons, M. Seurel dont on eût dit qu'il partait en guerre — je crois bien qu'il avait mis dans sa poche un vieux pistolet — et ce traître de Mouchebœuf.

Prenant un chemin de traverse, j'arrivai bientôt à la lisière du bois — seul à travers la campagne pour la première fois de ma vie comme une patrouille que son caporal a perdue.

Me voici, j'imagine, près de ce bonheur mystérieux que Meaulnes a entrevu un jour. Toute la matinée est à moi pour explorer la lisière du bois, l'endroit le plus frais et le plus caché du pays, tandis que mon grand frère aussi est parti à la découverte. C'est comme un ancien lit de ruisseau. Je passe sous les basses branches d'arbres dont je ne sais pas le nom mais qui doivent être des aulnes. J'ai sauté tout à l'heure un échalier au bout de la sente, et je me suis trouvé dans cette grande voie d'herbe verte qui coule sous les feuilles, foulant par endroits les orties, écrasant les hautes valérianes.

Parfois mon pied se pose, durant quelques pas, sur un banc de sable fin. Et dans le silence, j'entends un oiseau — je m'imagine que c'est un rossignol, mais sans doute je me trompe, puisqu'ils ne chantent que le soir — un oiseau qui répète obstinément la même

phrase : voix de la matinée, parole dite sous l'ombrage,
invitation délicieuse au voyage entre les aulnes. In-
visible, entêté, il semble m'accompagner sous la feuille.

Pour la première fois me voilà, moi aussi, sur le
chemin de l'aventure. Ce ne sont plus des coquilles
abandonnées par les eaux que je cherche, sous la direction de M. Seurel, ni des orchis que le maître d'école
ne connaisse pas, ni même, comme cela nous arrivait
souvent dans le champ du père Martin, cette fontaine
profonde et tarie, couverte d'un grillage, enfouie sous
tant d'herbes folles qu'il fallait chaque fois plus de
temps pour la retrouver... Je cherche quelque chose
de plus mystérieux encore. C'est le passage dont il
est question dans les livres, l'ancien chemin obstrué,
celui dont le prince harassé de fatigue n'a pu trouver
l'entrée. Cela se découvre à l'heure la plus perdue de
la matinée, quand on a depuis longtemps oublié qu'il
va être onze heures, midi... Et soudain, en écartant,
dans le feuillage profond, les branches, avec ce geste
hésitant des mains à hauteur du visage inégalement
écartées, on l'aperçoit comme une longue avenue
sombre dont la sortie est un rond de lumière tout
petit.

Mais tandis que j'espère et m'enivre ainsi, voici que
brusquement je débouche dans une sorte de clairière,
qui se trouve être tout simplement un pré. Je suis
arrivé sans y penser à l'extrémité des Communaux, que
j'avais toujours imaginée infiniment loin. Et voici à
ma droite, entre des piles de bois, toute bourdonnante
dans l'ombre, la maison du garde. Deux paires de bas
sèchent sur l'appui de la fenêtre. Les années passées,
lorsque nous arrivions à l'entrée du bois, nous disions
toujours, en montrant un point de lumière tout au
bout de l'immense allée noire : « C'est là-bas la maison
du garde; la maison de Baladier ». Mais jamais nous
n'avions poussé jusque-là. Nous entendions dire quelquefois, comme s'il se fût agi d'une expédition extraordinaire : « Il a été jusqu'à la maison du garde !... »

Cette fois, je suis allé jusqu'à la maison de Baladier, et je n'ai rien trouvé.

Je commençais à souffrir de ma jambe fatiguée et de la chaleur que je n'avais pas sentie jusque-là; je craignais de faire tout seul le chemin du retour, lorsque j'entendis près de moi l'appeau de M. Seurel, la voix de Mouchebœuf, puis d'autres voix qui m'appelaient...

Il y avait là une troupe de six grands gamins, où, seul, le traître Mouchebœuf avait l'air triomphant. C'était Giraudat, Auberger, Delage et d'autres... Grâce à l'appeau, on avait pris les uns grimpés dans un merisier isolé au milieu d'une clairière; les autres en train de dénicher des pics-verts. Giraudat, le nigaud aux yeux bouffis, à la blouse crasseuse, avait caché les petits dans son estomac, entre sa chemise et sa peau. Deux de leurs compagnons s'étaient enfuis à l'approche de M. Seurel : ce devait être Delouche et le petit Coffin. Ils avaient d'abord répondu par des plaisanteries à l'adresse de « Mouchevache! », que répétaient les échos des bois, et celui-ci, maladroitement, se croyant sûr de son affaire, avait répondu, vexé :

« Vous n'avez qu'à descendre, vous savez! M. Seurel est là... »

Alors tout s'était tu subitement; ç'avait été une fuite silencieuse à travers le bois. Et comme ils le connaissaient à fond, il ne fallait pas songer à les rejoindre. On ne savait pas non plus où le grand Meaulnes était passé. On n'avait pas entendu sa voix; et l'on dut renoncer à poursuivre les recherches.

Il était plus de midi lorsque nous reprîmes la route de Sainte-Agathe, lentement, la tête basse, fatigués, terreux. A la sortie du bois, lorsque nous eûmes frotté et secoué la boue de nos souliers sur la route sèche, le soleil commença de frapper dur. Déjà ce n'était plus ce matin de printemps si frais et si luisant. Les bruits de l'après-midi avaient commencé. De loin en loin un coq criait, cri désolé! dans les fermes désertes aux

alentours de la route. A la descente du Glacis, nous
nous arrêtâmes un instant pour causer avec des ouvriers
des champs qui avaient repris leur travail après le
déjeuner. Ils étaient accoudés à la barrière, et M. Seurel
leur disait :

« De fameux galopins! Tenez, regardez Giraudat. Il
a mis les oisillons dans sa chemise. Ils ont fait là dedans
ce qu'ils ont voulu. C'est du propre!... »

Il me semblait que c'était de ma débâcle aussi que
les ouvriers riaient. Ils riaient en hochant la tête, mais
ils ne donnaient pas tout à fait tort aux jeunes gars
qu'ils connaissaient bien. Ils nous confièrent même,
lorsque M. Seurel eut repris la tête de la colonne :

« Il y en a un autre qui est passé, un grand, vous
savez bien... Il a dû rencontrer, en revenant, la voiture
des Granges, et on l'a fait monter, il est descendu, plein
de terre, tout déchiré, ici, à l'entrée du chemin des
Granges! Nous lui avons dit que nous vous avions vus
passer ce matin, mais que vous n'étiez pas de retour
encore. Et il a continué tout doucement sa route vers
Sainte-Agathe ».

En effet, assis sur une pile du pont des Glacis nous
attendait le grand Meaulnes, l'air brisé de fatigue. Aux
questions de M. Seurel, il répondit que lui aussi était
parti à la recherche des écoliers buissonniers. Et à
celle que je lui posai tout bas, il dit seulement en
hochant la tête avec découragement :

« Non! rien! rien qui ressemble à ça ».

Après déjeuner, dans la classe fermée, noire et vide,
au milieu du pays radieux, il s'assit à l'une des grandes
tables et, la tête dans les bras, il dormit longtemps,
d'un sommeil triste et lourd. Vers le soir, après un long
instant de réflexion, comme s'il venait de prendre une
décision importante, il écrivit une lettre à sa mère. Et
c'est tout ce que je me rappelle de cette morne fin
d'un grand jour de défaite.

CHAPITRE X

LA LESSIVE

Nous avions escompté trop tôt la venue du printemps.

Le lundi soir, nous voulûmes faire nos devoirs aussitôt après quatre heures comme en plein été, et pour y voir plus clair nous sortîmes deux grandes tables dans la cour. Mais le temps s'assombrit tout de suite; une goutte de pluie tomba sur un cahier; nous rentrâmes en hâte. Et de la grande salle obscurcie, par les larges fenêtres, nous regardions silencieusement dans le ciel gris la déroute des nuages.

Alors Meaulnes, qui regardait comme nous, la main sur une poignée de croisée, ne put s'empêcher de dire, comme s'il eût été fâché de sentir monter en lui tant de regret :

« Ah! ils filaient autrement que cela les nuages, lorsque j'étais sur la route, dans la voiture de la Belle-Etoile.

— Sur quelle route ? » demanda Jasmin.

Mais Meaulnes ne répondit pas.

« Moi, dis-je, pour faire diversion, j'aurais aimé voyager comme cela en voiture, par la pluie battante, abrité sous un grand parapluie.

— Et lire tout le long du chemin comme dans une maison, ajouta un autre.

— Il ne pleuvait pas et je n'avais pas envie de lire,

répondit Meaulnes, je ne pensais qu'à regarder le pays ».

Mais lorsque Giraudat, à son tour, demanda de quel pays il s'agissait, Meaulnes de nouveau resta muet. Et Jasmin dit :

« Je sais... Toujours la fameuse aventure!... »

Il avait dit ces mots d'un ton conciliant et important, comme s'il eût été lui-même un peu dans le secret. Ce fut peine perdue; ses avances lui restèrent pour compte; et comme la nuit tombait chacun s'en fut au galop, la blouse relevée sur la tête, sous la froide averse.

Jusqu'au jeudi suivant le temps resta à la pluie. Et ce jeudi-là fut plus triste encore que le précédent. Toute la campagne était baignée dans une sorte de brume glacée comme aux plus mauvais jours de l'hiver.

Millie, trompée par le beau soleil de l'autre semaine, avait fait faire la lessive, mais il ne fallait pas songer à mettre sécher le linge sur les haies du jardin, ni même sur des cordes dans le grenier, tant l'air était humide et froid.

En discutant avec M. Seurel, il lui vint l'idée d'étendre sa lessive dans les classes, puisque c'était jeudi, et de chauffer le poêle à blanc. Pour économiser les feux de la cuisine et de la salle à manger, on ferait cuire les repas sur le poêle et nous nous tiendrions toute la journée dans la grande salle du Cours.

Au premier instant, — j'étais si jeune encore! — je considérai cette nouveauté comme une fête.

Morne fête!... Toute la chaleur du poêle était prise par la lessive et il faisait grand froid. Dans la cour, tombait interminablement et mollement une petite pluie d'hiver. C'est là pourtant que dès neuf heures du matin, dévoré d'ennui, je retrouvai le grand Meaulnes. Par les barreaux du grand portail, où nous appuyions silencieusement nos têtes, nous regardâmes, au haut du bourg, sur les Quatre-Routes, le cortège d'un enterrement venu du fond de la campagne. Le cercueil, amené dans une charrette à bœufs, était déchargé et posé sur une dalle, au pied de la grande croix où le boucher avait aperçu naguère les sentinelles du bohémien ! Où était-il maintenant, le jeune capitaine qui si bien menait l'abordage ?... Le curé et les chantres vinrent comme c'était l'usage au-devant du cercueil posé là, et les tristes chants arrivaient jusqu'à nous. Ce serait là, nous le savions, le seul spectacle de la journée, qui s'écoulerait tout entière comme une eau jaunie dans un caniveau.

« Et maintenant, dit Meaulnes soudain, je vais préparer mon bagage. Apprends-le, Seurel : j'ai écrit à ma mère jeudi dernier, pour lui demander de finir mes études à Paris. C'est aujourd'hui que je pars ».

Il continuait à regarder vers le bourg, les mains appuyées aux barreaux, à la hauteur de sa tête. Inutile de demander si sa mère, qui était riche et lui passait toutes ses volontés, lui avait passé celle-là. Inutile aussi de demander pourquoi soudainement il désirait s'en aller à Paris !...

Mais il y avait en lui, certainement, le regret et la crainte de quitter ce cher pays de Sainte-Agathe d'où il était parti pour son aventure. Quant à moi, je sentais monter une désolation violente que je n'avais pas sentie d'abord.

« Pâques approche ! dit-il pour m'expliquer, avec un soupir.

— Dès que tu l'auras trouvée là-bas, tu m'écriras, n'est-ce pas ? demandai-je.

— C'est promis, bien sûr. N'es-tu pas mon compagnon et mon frère ?... »

Et il me posa la main sur l'épaule.

Peu à peu je comprenais que c'était bien fini, puisqu'il voulait terminer ses études à Paris; jamais plus je n'aurais avec moi mon grand camarade.

Il n'y avait d'espoir, pour nous réunir, qu'en cette maison de Paris où devait se retrouver la trace de l'aventure perdue... Mais de voir Meaulnes lui-même si triste, quel pauvre espoir c'était là pour moi !

Mes parents furent avertis : M. Seurel se montra très étonné, mais se rendit bien vite aux raisons d'Augustin; Millie, femme d'intérieur, se désola surtout à la pensée que la mère de Meaulnes verrait notre maison dans un désordre inaccoutumé... La malle, hélas! fut bientôt faite. Nous cherchâmes sous l'escalier ses souliers des dimanches; dans l'armoire, un peu de linge; puis ses papiers et ses livres d'école — tout ce qu'un jeune homme de dix-huit ans possède au monde.

A midi, Mme Meaulnes arrivait avec sa voiture. Elle déjeuna au café Daniel en compagnie d'Augustin, et l'emmena sans donner presque aucune explication, dès que le cheval fut affené et attelé. Sur le seuil, nous leur dîmes au revoir; et la voiture disparut au tournant des Quatre-Routes.

Millie frotta ses souliers devant la porte et rentra dans la froide salle à manger, remettre en ordre ce qui avait été dérangé. Quant à moi, je me trouvai, pour la première fois depuis de longs mois, seul en face d'une longue soirée de jeudi — avec l'impression que, dans cette vieille voiture, mon adolescence venait de s'en aller pour toujours.

CHAPITRE XI

QUE faire?

Le temps s'élevait un peu. On eût dit que le soleil allait se montrer.

Une porte claquait dans la grande maison. Puis le silence retombait. De temps à autre mon père traversait la cour, pour remplir un seau de charbon dont il bourrait le poêle. J'apercevais les linges blancs pendus aux cordes et je n'avais aucune envie de rentrer dans le triste endroit transformé en séchoir, pour m'y trouver en tête-à-tête avec l'examen de la fin de l'année, ce concours de l'Ecole Normale qui devait être désormais ma seule préoccupation.

Chose étrange : à cet ennui qui me désolait se mêlait comme une sensation de liberté. Meaulnes parti, toute cette aventure terminée et manquée, il me semblait du moins que j'étais libéré de cet étrange souci, de cette occupation mystérieuse, qui ne me permettaient plus d'agir comme tout le monde. Meaulnes parti, je n'étais plus son compagnon d'aventures, le frère de ce chasseur de pistes; je redevenais un gamin du bourg pareil aux autres. Et cela était facile et je n'avais qu'à suivre pour cela mon inclination la plus naturelle.

Le cadet des Roy passa dans la rue boueuse, faisant tourner au bout d'une ficelle, puis lâchant en l'air trois

marrons attachés qui retombèrent dans la cour. Mon
désœuvrement était si grand que je pris plaisir à lui
relancer deux ou trois fois ses marrons de l'autre côté
du mur.

Soudain je le vis abandonner ce jeu puéril pour
courir vers un tombereau qui venait par le chemin
de la Vieille-Planche. Il eut vite fait de grimper par
derrière sans même que la voiture s'arrêtât. Je reconnaissais le petit tombereau de Delouche et son cheval.
Jasmin conduisait; le gros Boujardon était debout. Ils
revenaient du pré.

« Viens avec nous, François ! » cria Jasmin, qui devait
savoir déjà que Meaulnes était parti.

Ma foi ! sans avertir personne, j'escaladai la voiture
cahotante et me tins comme les autres, debout, appuyé
contre un des montants du tombereau. Il nous conduisit
chez la veuve Delouche...

Nous sommes maintenant dans l'arrière-boutique, chez
la bonne femme qui est en même temps épicière et
aubergiste. Un rayon de soleil blanc glisse à travers la
fenêtre basse sur les boîtes en fer-blanc et sur les
tonneaux de vinaigre Le gros Boujardon s'assoit sur
l'appui de la fenêtre et tourné vers nous, avec un gros
rire d'homme pâteux, il mange des biscuits à la cuiller
A la portée de la main, sur un tonneau, la boîte est
ouverte et entamée. Le petit Roy pousse des cris de
plaisir. Une sorte d'intimité de mauvais aloi s'est établie
entre nous. Jasmin et Boujardon seront maintenant
mes camarades, je le vois. Le cours de ma vie a changé
tout d'un coup. Il me semble que Meaulnes est parti
depuis très longtemps et que son aventure est une
vieille histoire triste, mais finie.

Le petit Roy a déniché sous une planche une bouteille de liqueur entamée. Delouche nous offre à chacun
la goutte, mais il n'y a qu'un verre et nous buvons tous
dans le même. On me sert le premier avec un peu de
condescendance, comme si je n'étais pas habitué à ces

mœurs de chasseurs et de paysans... Cela me gêne un peu. Et comme on vient à parler de Meaulnes, l'envie me prend, pour dissiper cette gêne et retrouver mon aplomb, de montrer que je connais son histoire et de la raconter un peu. En quoi cela pourrait-il lui nuire puisque tout est fini maintenant de ses aventures ici ?... .. ..

Est-ce que je raconte mal cette histoire ? Elle ne produit pas l'effet que j'attendais.

Mes compagnons, en bons villageois que rien n'étonne, ne sont pas surpris pour si peu.

« C'était une noce, quoi ! » dit Boujardon.

Delouche en a vu une, à Préveranges, qui était plus curieuse encore.

Le château ? On trouverait certainement des gens du pays qui en ont entendu parler.

La jeune fille ? Meaulnes se mariera avec elle quand il aura fait son année de service.

« Il aurait dû, ajoute l'un d'eux, nous en parler et nous montrer son plan au lieu de confier cela à un bohémien !... »

Empêtré dans mon insuccès, je veux profiter de l'occasion pour exciter leur curiosité : je me décide à expliquer qui était ce bohémien; d'où il venait; son étrange destinée... Boujardon et Delouche ne veulent rien entendre : « C'est celui-là qui a tout fait. C'est lui qui a rendu Meaulnes insociable, Meaulnes qui était un si brave camarade ! C'est lui qui a organisé toutes ces sottises d'abordages et d'attaques nocturnes, après nous avoir tous embrigadés comme un bataillon scolaire... »

« Tu sais, dit Jasmin, en regardant Boujardon, et en secouant la tête à petits coups, j'ai rudement bien fait de le dénoncer aux gendarmes. En voilà un qui a fait du mal au pays et qui en aurait fait encore !... »

Me voici presque de leur avis. Tout aurait sans doute autrement tourné si nous n'avions pas considéré l'affaire d'une façon si mystérieuse et si tragique. C'est l'influence de ce Frantz qui a tout perdu...

Mais soudain, tandis que je suis absorbé dans ces réflexions, il se fait du bruit dans la boutique. Jasmin Delouche cache rapidement son flacon de goutte derrière un tonneau; le gros Boujardon dégringole du haut de sa fenêtre, met le pied sur une bouteille vide et poussiéreuse qui roule, et manque deux fois de s'étaler. Le petit Roy les pousse par derrière, pour sortir plus vite, à demi suffoqué de rire.

Sans bien comprendre ce qui se passe je m'enfuis avec eux, nous traversons la cour et nous grimpons par une échelle dans un grenier à foin. J'entends une voix de femme qui nous traite de propres-à-rien !...

« Je n'aurais pas cru qu'elle serait rentrée si tôt », dit Jasmin tout bas.

Je comprends, maintenant seulement, que nous étions là en fraude, à voler des gâteaux et de la liqueur. Je suis déçu comme ce naufragé qui croyait causer avec un homme et qui reconnut soudain que c'était un singe. Je ne songe plus qu'à quitter ce grenier, tant ces aventures-là me déplaisent. D'ailleurs la nuit tombe... On me fait passer par derrière, traverser deux jardins, contourner une mare; je me retrouve dans la rue mouillée, boueuse, où se reflète la lueur du café Daniel.

Je ne suis pas fier de ma soirée. Me voici aux Quatre-Routes. Malgré moi, tout d'un coup, je revois, au tournant, un visage dur et fraternel qui me sourit; un dernier signe de la main — et la voiture disparaît...

Un vent froid fait claquer ma blouse, pareil au vent de cet hiver qui était si tragique et si beau. Déjà tout me paraît moins facile. Dans la grande classe où l'on m'attend pour dîner, de brusques courants d'air traversent la maigre tiédeur que répand le poêle. Je grelotte, tandis qu'on me reproche mon après-midi de vagabondage. Je n'ai pas même, pour rentrer dans la régulière vie passée, la consolation de prendre place à table et de retrouver mon siège habituel. On n'a pas mis la table ce soir-là; chacun dîne sur ses genoux, où il peut, dans la salle de classe obscure. Je mange silencieusement la galette cuite sur le poêle, qui devait être la récompense de ce jeudi passé dans l'école, et qui a brûlé sur les cercles rougis.

Le soir, tout seul dans ma chambre, je me couche bien vite pour étouffer le remords que je sens monter du fond de ma tristesse. Mais par deux fois je me suis éveillé, au milieu de la nuit, croyant entendre, la première fois, le craquement du lit voisin, où Meaulnes avait coutume de se retourner brusquement d'une seule pièce, et, l'autre fois, son pas léger de chasseur aux aguets, à travers les greniers du fond...

CHAPITRE XII

DE toute ma vie je n'ai reçu que trois lettres de Meaulnes. Elles sont encore chez moi dans un tiroir de commode. Je retrouve chaque fois que je les relis la même tristesse que naguère.

La première m'arriva dès le surlendemain de son départ.

    « Mon cher François,

» Aujourd'hui, dès mon arrivée à Paris, je suis allé devant la maison indiquée. Je n'ai rien vu. Il n'y avait personne. Il n'y aura jamais personne.

» La maison que disait Frantz est un petit hôtel à un étage. La chambre de Mlle de Galais doit être au premier. Les fenêtres du haut sont les plus cachées par les arbres. Mais en passant sur le trottoir on les voit très bien. Tous les rideaux sont fermés et il faudrait être fou pour espérer qu'un jour, entre ces rideaux tirés, le visage d'Yvonne de Galais puisse apparaître.

» C'est sur un boulevard... Il pleuvait un peu dans les arbres déjà verts. On entendait les cloches claires des tramways qui passaient indéfiniment.

» Pendant près de deux heures, je me suis promené de long en large sous les fenêtres. Il y a un marchand de vins chez qui je me suis arrêté pour boire, de façon

à n'être pas pris pour un bandit qui veut faire un mauvais coup. Puis j'ai repris ce guet sans espoir.

» La nuit est venue. Les fenêtres se sont allumées
un peu partout mais non pas dans cette maison. Il
n'y a certainement personne. Et pourtant Pâques approche.

» Au moment où j'allais partir une jeune fille, ou
une jeune femme — je ne sais — est venue s'asseoir sur
un des bancs mouillés de pluie. Elle était vêtue de noir
avec une petite collerette blanche. Lorsque je suis parti,
elle était encore là, immobile malgré le froid du soir, à
attendre je ne sais quoi, je ne sais qui. Tu vois que
Paris est plein de fous comme moi.

AUGUSTIN »

Le temps passa. Vainement j'attendis un mot d'Augustin le lundi de Pâques et durant tous les jours qui
suivirent — jours où il semble, tant ils sont calmes
après la grande fièvre de Pâques, qu'il n'y ait plus qu'à
attendre l'été. Juin ramena le temps des examens et
une terrible chaleur dont la buée suffocante planait
sur le pays sans qu'un souffle de vent la vînt dissiper.
La nuit n'apportait aucune fraîcheur et par conséquent
aucun répit à ce supplice. C'est durant cet insupportable mois de juin que je reçus la deuxième lettre du
grand Meaulnes.

« Juin 189...

» Mon cher ami,

» Cette fois tout espoir est perdu. Je le sais depuis
hier soir. La douleur, que je n'avais presque pas sentie
tout de suite, monte depuis ce temps.

» Tous les soirs j'allais m'asseoir sur ce banc, guettant, réfléchissant, espérant malgré tout.

» Hier après dîner, la nuit était noire et étouffante.
Des gens causaient sur le trottoir, sous les arbres. Au-
dessus des noirs feuillages, verdis par les lumières, les

appartements des seconds, des troisièmes étages étaient
éclairés. Çà et là, une fenêtre que l'été avait ouverte
toute grande... On voyait la lampe allumée sur la table,
refoulant à peine autour d'elle la chaude obscurité de
juin; on voyait presque jusqu'au fond de la pièce...
Ah ! si la fenêtre noire d'Yvonne de Galais s'était allumée aussi, j'aurais osé, je crois, monter l'escalier, frapper, entrer...

» La jeune fille de qui je t'ai parlé était là encore,
attendant comme moi. Je pensai qu'elle devait connaître la maison et je l'interrogeai :

» — Je sais, a-t-elle dit, qu'autrefois, dans cette
maison, une jeune fille et son frère venaient passer
les vacances. Mais j'ai appris que le frère avait fui
le château de ses parents sans qu'on puisse jamais le
retrouver, et la jeune fille s'est mariée. C'est ce qui
vous explique que l'appartement soit fermé ».

» Je suis parti. Au bout de dix pas mes pieds bu-
taient sur le trottoir et je manquais tomber. La nuit
— c'était la nuit dernière — lorsqu'enfin les enfants
et les femmes se sont tus, dans les cours, pour me
laisser dormir, j'ai commencé d'entendre rouler les
fiacres dans la rue. Ils ne passaient que de loin en
loin. Mais quand l'un était passé, malgré moi, j'attendais l'autre : le grelot, les pas du cheval qui claquaient
sur l'asphalte... Et cela répétait : c'est la ville déserte,
ton amour perdu, la nuit interminable. l'été, la fièvre...

» Seurel, mon ami, je suis dans une grande détresse.

AUGUSTIN »

Lettres de peu de confidence quoi qu'il paraisse !
Meaulnes ne me disait ni pourquoi il était resté si
longtemps silencieux, ni ce qu'il comptait faire maintenant. J'eus l'impression qu'il rompait avec moi, parce
que son aventure était finie, comme il rompait avec
son passé. J'eus beau lui écrire, en effet, je ne reçus
plus de réponse. Un mot de félicitations seulement, lors-

que j'obtins mon Brevet Simple. En septembre je sus
par un camarade d'école qu'il était venu en vacances
chez sa mère à La Ferté-d'Angillon. Mais nous dûmes,
cette année-là, invités par mon oncle Florentin du
Vieux-Nançay, passer chez lui les vacances. Et Meaulnes
repartit pour Paris sans que j'eusse pu le voir.

A la rentrée, exactement vers la fin de novembre,
tandis que je m'étais remis avec une morne ardeur à
préparer le Brevet Supérieur, dans l'espoir d'être
nommé instituteur l'année suivante, sans passer par
l'Ecole Normale de Bourges, je reçus la dernière des
trois lettres que j'aie jamais reçues d'Augustin :

« Je passe encore sous cette fenêtre, écrivait-il. J'attends encore, sans le moindre espoir, par folie. A la fin
de ces froids dimanches d'automne, au moment où il
va faire nuit, je ne puis me décider à rentrer, à fermer
les volets de ma chambre, sans être retourné là-bas,
dans la rue gelée.

» Je suis comme cette folle de Sainte-Agathe qui
sortait à chaque minute sur le pas de la porte et regardait, la main sur les yeux, du côté de La Gare, pour
voir si son fils qui était mort ne venait pas.

» Assis sur le banc, grelottant, misérable, je me plais
à imaginer que quelqu'un va me prendre doucement
par le bras... Je me retournerais. Ce serait-elle. « Je me
suis un peu attardée », dirait-elle simplement. Et toute
peine et toute démence s'évanouissent. Nous entrons
dans notre maison. Ses fourrures sont toutes glacées, sa
voilette mouillée; elle apporte avec elle le goût de
brume du dehors; et tandis qu'elle s'approche du feu, je
vois ses cheveux blonds givrés, son beau profil au dessin
si doux penché vers la flamme...

» Hélas ! la vitre reste blanchie par le rideau qui est
derrière. Et la jeune fille du Domaine perdu l'ouvrirait-
elle, que je n'ai maintenant plus rien à lui dire.

» Notre aventure est finie. L'hiver de cette année
est mort comme la tombe. Peut-être quand nous mour-

rons, peut-être la mort seule nous donnera la clef et
la suite et la fin de cette aventure manquée.

» Seurel, je te demandais l'autre jour de penser à
moi. Maintenant, au contraire, il vaut mieux m'oublier.
Il vaudrait mieux tout oublier.

.. ..

A. M. »

Et ce fut un nouvel hiver, aussi mort que le précédent avait été vivant d'une mystérieuse vie : la place
de l'église sans bohémiens; la cour d'école que les
gamins désertaient à quatre heures... la salle de classe
où j'étudiais seul et sans goût... En février, pour la
première fois de l'hiver, la neige tomba, ensevelissant
définitivement notre roman d'aventures de l'an passé,
brouillant toute piste, effaçant les dernières traces.
Et je m'efforçai, comme Meaulnes me l'avait demandé
dans sa lettre, de tout oublier.

TROISIÈME PARTIE

CHAPITRE PREMIER

LA BAIGNADE

Fumer la cigarette, se mettre de l'eau sucrée sur les cheveux pour qu'ils frisent, embrasser les filles du Cours Complémentaire dans les chemins et crier « A la cornette ! » derrière la haie pour narguer la religieuse qui passe, c'était la joie de tous les mauvais drôles du pays. A vingt ans, d'ailleurs, les mauvais drôles de cette espèce peuvent très bien s'amender et deviennent parfois des jeunes gens fort sensibles. Le cas est plus grave lorsque le drôle en question a la figure déjà vieillotte et fanée, lorsqu'il s'occupe des histoires louches des femmes du pays, lorsqu'il dit de Gilberte Poquelin mille bêtises pour faire rire les autres. Mais enfin le cas n'est pas encore désespéré...

C'était le cas de Jasmin Delouche. Il continuait, je ne sais pourquoi, mais certainement sans aucun désir de passer les examens, à suivre le Cours Supérieur que tout le monde aurait voulu lui voir abandonner. Entre temps, il apprenait avec son oncle Dumas le métier de plâtrier. Et bientôt ce Jasmin Delouche, avec Boujardon et un autre garçon très doux, le fils de l'adjoint qui s'appelait Denis, furent les seuls grands élèves que

j'aimasse à fréquenter, parce qu'ils étaient « du temps
de Meaulnes ».

Il y avait d'ailleurs, chez Delouche, un désir très
sincère d'être mon ami. Pour tout dire, lui qui avait
été l'ennemi du grand Meaulnes, il eût voulu devenir
le grand Meaulnes de l'école : tout au moins regrettait-
il peut-être de n'avoir pas été son lieutenant. Moins
lourd que Boujardon, il avait senti, je pense, tout ce
que Meaulnes avait apporté, dans notre vie, d'extraordinaire. Et souvent je l'entendais répéter :
« Il le disait bien, le grand Meaulnes... » ou encore :
« Ah! disait le grand Meaulnes... »

Outre que Jasmin était plus homme que nous, le
vieux petit gars disposait de trésors d'amusements qui
consacraient sur nous sa supériorité : un chien de race
mêlée, aux longs poils blancs, qui répondait au nom
agaçant de Bécali et rapportait les pierres qu'on lançait
au loin, sans avoir d'aptitude bien nette pour aucun
autre sport; une vieille bicyclette achetée d'occasion et
sur quoi Jasmin nous faisait quelquefois monter, le soir
après le cours, mais avec laquelle il préférait exercer
les filles du pays; enfin et surtout un âne blanc et
aveugle qui pouvait s'atteler à tous les véhicules.

C'était l'âne de Dumas, mais il le prêtait à Jasmin
quand nous allions nous baigner au Cher, en été. Sa
mère, à cette occasion, donnait une bouteille de limonade que nous mettions sous le siège, parmi les caleçons de bains desséchés. Et nous partions, huit ou dix
grands élèves du Cours, accompagnés de M. Seurel, les
uns à pied, les autres grimpés dans la voiture à âne,
qu'on laissait à la ferme de Grand'Fons, au moment
où le chemin du Cher devenait trop raviné.

J'ai lieu de me rappeler jusqu'en ses moindres détails
une promenade de ce genre, où l'âne de Jasmin conduisit au Cher nos caleçons, nos bagages, la limonade et
M. Seurel, tandis que nous suivions à pied par derrière.
On était au mois d'août. Nous venions de passer les
examens. Délivrés de ce souci, il nous semblait que tout

l'été, tout le bonheur nous appartenaient, et nous marchions sur la route en chantant, sans savoir quoi ni pourquoi, au début d'un bel après-midi de jeudi.

Il n'y eut, à l'aller, qu'une ombre à ce tableau innocent. Nous aperçûmes, marchant devant nous, Gilberte Poquelin. Elle avait la taille bien prise, une jupe demi-longue, des souliers hauts, l'air doux et effronté d'une gamine qui devient jeune fille. Elle quitta la route et prit un chemin détourné, pour aller chercher du lait sans doute. Le petit Coffin proposa aussitôt à Jasmin de la suivre.

« Ce ne serait pas la première fois que j'irais l'embrasser... », dit l'autre.

Et il se mit à raconter sur elle et ses amies plusieurs histoires grivoises, tandis que toute la troupe, par fanfaronnade, s'engageait dans le chemin, laissant M. Seurel continuer en avant, sur la route, dans la voiture à âne. Une fois là, pourtant, la bande commença à s'égrener. Delouche lui-même paraissait peu soucieux de s'attaquer devant nous à la gamine qui filait, et il ne l'approcha pas à plus de cinquante mètres. Il y eut quelques cris de coqs et de poules, des petits coups de sifflet galants, puis nous rebroussâmes chemin, un peu mal à l'aise, abandonnant la partie. Sur la route, en plein soleil, il fallut courir. Nous ne chantions plus.

Nous nous déshabillâmes et rhabillâmes dans les saulaies arides qui bordent le Cher. Les saules nous abritaient des regards, mais non pas du soleil. Les pieds dans le sable et la vase desséchée, nous ne pensions qu'à la bouteille de limonade de la veuve Delouche, qui fraîchissait dans la fontaine de Grand'Fons, une fontaine creusée dans la rive même du Cher. Il y avait toujours, dans le fond, des herbes glauques et deux ou trois bêtes pareilles à des cloportes; mais l'eau était si claire, si transparente, que les pêcheurs n'hésitaient pas à s'agenouiller, les deux mains sur chaque bord, pour y boire.

Hélas ! ce fut ce jour-là comme les autres fois...

Lorsque, tous habillés, nous nous mettions en rond, les
jambes croisées en tailleur, pour nous partager, dans
deux gros verres sans pied, la limonade rafraîchie, il
ne revenait guère à chacun, lorsqu'on avait prié
M. Seurel de prendre sa part, qu'un peu de mousse
qui piquait le gosier et ne faisait qu'irriter la soif.
Alors, à tour de rôle, nous allions à la fontaine que
nous avions d'abord méprisée, et nous approchions lentement le visage de la surface de l'eau pure. Mais tous
n'étaient pas habitués à ces mœurs d'hommes des
champs. Beaucoup, comme moi, n'arrivaient pas à se
désaltérer : les uns, parce qu'ils n'aimaient pas l'eau,
d'autres, parce qu'ils avaient le gosier serré par la peur
d'avaler un cloporte, d'autres, trompés par la grande
transparence de l'eau immobile et n'en sachant pas
calculer exactement la surface, s'y baignaient la moitié
du visage en même temps que la bouche et aspiraient
âcrement par le nez une eau qui leur semblait brûlante,
d'autres enfin pour toutes ces raisons à la fois... N'importe ! il nous semblait, sur ces bords arides du Cher,
que toute la fraîcheur terrestre était enclose en ce lieu.
Et maintenant encore, au seul mot de fontaine, pro-
noncé n'importe où, c'est à celle-là, pendant longtemps,
que je pense.

Le retour se fit à la brune, avec insouciance d'abord,
comme l'aller. Le chemin de Grand'Fons, qui remontait
vers la route, était un ruisseau l'hiver et, l'été, un ravin
impraticable, coupé de trous et de grosses racines, qui
montait dans l'ombre entre de grandes haies d'arbres.
Une partie des baigneurs s'y engagea par jeu. Mais
nous suivîmes, avec M. Seurel, Jasmin et plusieurs
camarades, un sentier doux et sablonneux, parallèle à
celui-là, qui longeait la terre voisine. Nous entendions
causer et rire les autres, près de nous, au-dessous de
nous, invisibles dans l'ombre, tandis que Delouche racontait ses histoires d'homme... Au faîte des arbres de
la grande haie grésillaient les insectes du soir qu'on
voyait, sur le clair du ciel, remuer tout autour de la

dentelle des feuillages. Parfois il en dégringolait un, brusquement, dont le bourdonnement grinçait tout à coup. — Beau soir d'été calme!... Retour, sans espoir mais sans désir, d'une pauvre partie de campagne... Ce fut encore Jasmin, sans le vouloir, qui vint troubler cette quiétude...

Au moment où nous arrivions au sommet de la côte, à l'endroit où il reste deux grosse vieilles pierres qu'on dit être les vestiges d'un château fort, il en vint à parler des domaines qu'il avait visités et spécialement d'un domaine à demi abandonné aux environs du Vieux-Nançay : le domaine des Sablonnières. Avec cet accent de l'Allier qui arrondit vaniteusement certains mots et abrège avec préciosité les autres, il racontait avoir vu quelques années auparavant, dans la chapelle en ruine de cette vieille propriété, une pierre tombale sur laquelle étaient gravés ces mots :

> *Ci-gît le chevalier Galois*
> *Fidèle à son Dieu, à son Roi, à sa Belle*

« Ah! Bah! Tiens! » disait M. Seurel, avec un léger haussement d'épaules, un peu gêné du ton que prenait la conversation, mais désireux cependant de nous laisser parler comme des hommes.

Alors Jasmin continua de décrire ce château, comme s'il y avait passé sa vie.

Plusieurs fois, en revenant du Vieux-Nançay, Dumas et lui avaient été intrigués par la vieille tourelle grise qu'on apercevait au-dessus des sapins. Il y avait là, au milieu des bois, tout un dédale de bâtiments ruinés que l'on pouvait visiter en l'absence des maîtres. Un jour, un garde de l'endroit, qu'ils avaient fait monter dans leur voiture, les avait conduits dans le domaine étrange. Mais depuis lors on avait fait tout abattre; il ne restait plus guère, disait-on, que la ferme et une petite maison de plaisance. Les habitants étaient toujours les mêmes : un vieil officier retraité, demi-ruiné, et sa fille.

Il parlait... Il parlait... J'écoutais attentivement, sentant sans m'en rendre compte qu'il s'agissait là d'une chose bien connue de moi, lorsque soudain, tout simplement, comme se font les choses extraordinaires, Jasmin se tourna vers moi et, me touchant le bras, frappé d'une idée qui ne lui était jamais venue :

« Tiens, mais, j'y pense, dit-il, c'est là que Meaulnes — tu sais, le grand Meaulnes ? — avait dû aller.

» Mais oui, ajouta-t-il, car je ne répondais pas, et je me rappelle que le garde parlait du fils de la maison, un excentrique, qui avait des idées extraordinaires... »

Je ne l'écoutais plus, persuadé dès le début qu'il avait deviné juste et que devant moi, loin de Meaulnes, loin de tout espoir, venait de s'ouvrir, net et facile comme une route familière, le chemin du Domaine sans nom.

CHAPITRE IV

AUTANT j'avais été un enfant malheureux et rêveur et fermé, autant je devins résolu et, comme on dit chez nous, « décidé », lorsque je sentis que dépendait de moi l'issue de cette grave aventure.

Ce fut, je crois bien, à dater de ce soir-là que mon genou cessa définitivement de me faire mal.

Au Vieux-Nançay, qui était la commune du domaine des Sablonnières, habitait toute la famille de M. Seurel et en particulier mon oncle Florentin, un commerçant chez qui nous passions quelquefois la fin de septembre. Libéré de tout examen, je ne voulus pas attendre et j'obtins d'aller immédiatement voir mon oncle. Mais je décidai de ne rien faire savoir à Meaulnes aussi longtemps que je ne serais pas certain de pouvoir lui annoncer quelque bonne nouvelle. A quoi bon en effet l'arracher à son désespoir pour l'y replonger ensuite plus profondément peut-être ?

Le Vieux-Nançay fut pendant très longtemps le lieu du monde que je préférais, le pays des fins de vacances, où nous n'allions que bien rarement, lorsqu'il se trouvait une voiture à louer pour nous y conduire. Il y avait eu, jadis, quelque brouille avec la branche de la famille qui habitait là-bas, et c'est pourquoi sans doute Millie se faisait tant prier chaque fois pour monter en voiture. Mais moi, je me souciais bien de ces fâcheries !... Et sitôt arrivé, je me perdais et m'ébattais parmi les

oncles, les cousines et les cousins, dans une existence
faite de mille occupations amusantes et de plaisirs qui
me ravissaient.

Nous descendions chez l'oncle Florentin et la tante
Julie, qui avaient un garçon de mon âge, le cousin
Firmin, et huit filles, dont les aînées, Marie-Louise,
Charlotte, pouvaient avoir dix-sept et quinze ans. Ils
tenaient un très grand magasin à l'une des entrées de
ce bourg de Sologne, devant l'église — un magasin
universel, auquel s'approvisionnaient tous les châte-
lains-chasseurs de la région, isolés dans la contrée perdue, à trente kilomètres de toute gare.

Ce magasin, avec ses comptoirs d'épicerie et de
rouennerie, donnait par de nombreuses fenêtres sur la
route et, par la porte vitrée, sur la grande place de
l'église. Mais, chose étrange, quoiqu'assez ordinaire
dans ce pays pauvre, la terre battue dans toute la boutique tenait lieu de plancher.

Par derrière, c'étaient six chambres, chacune remplie
d'une seule et même marchandise : la chambre aux
chapeaux, la chambre au jardinage, la chambre aux
lampes... que sais-je ? Il me semblait, lorsque j'étais
enfant et que je traversais ce dédale d'objets de bazar,
que je n'en épuiserais jamais du regard toutes les merveilles. Et, à cette époque encore, je trouvais qu'il n'y
avait de vraies vacances que passées en ce lieu.

La famille vivait dans une grande cuisine dont la
porte s'ouvrait sur le magasin — cuisine où brillaient
aux fins de septembre de grandes flambées de cheminée,
où les chasseurs et les braconniers qui vendaient du
gibier à Florentin venaient de grand matin se faire
servir à boire, tandis que les petites filles, déjà levées,
couraient, criaient, se passaient les unes aux autres du
« sent-y-bon » sur leurs cheveux lissés. Aux murs, de
vieilles photographies, de vieux *groupes scolaires* jaunis
montraient mon père — on mettait longtemps à le
reconnaître en uniforme — au milieu de ses camarades
d'Ecole Normale...

C'est là que se passaient nos matinées; et aussi dans la cour où Florentin faisait pousser des dahlias et élevait des pintades; où l'on torréfiait le café, assis sur des boîtes à savon; où nous déballions des caisses remplies d'objets divers précieusement enveloppés et dont nous ne savions pas toujours le nom...

Toute la journée, le magasin était envahi par des paysans ou par les cochers des châteaux voisins. A la porte vitrée s'arrêtaient et s'égouttaient, dans le brouillard de septembre, des charrettes, venues du fond de la campagne. Et de la cuisine nous écoutions ce que disaient les paysannes, curieux de toutes leurs histoires...

Mais le soir, après huit heures, lorsqu'avec des lanternes on portait le foin aux chevaux dont la peau fumait dans l'écurie — tout le magasin nous appartenait !

Marie-Louise, qui était l'aînée de mes cousines mais une des plus petites, achevait de plier et de ranger les piles de drap dans la boutique; elle nous encourageait à venir la distraire. Alors, Firmin et moi avec toutes les filles, nous faisions irruption dans la grande boutique, sous les lampes d'auberge, tournant les moulins à café, faisant des tours de force sur les comptoirs; et parfois Firmin allait chercher dans les greniers, car la terre battue invitait à la danse, quelque vieux trombone plein de vert-de-gris...

Je rougis encore à l'idée que, les années précédentes, Mlle de Galais eût pu venir à cette heure et nous surprendre au milieu de ces enfantillages... Mais ce fut un peu avant la tombée de la nuit, un soir de ce mois d'août, tandis que je causais tranquillement avec Marie-Louise et Firmin, que je la vis pour la première fois...

Dès le soir de mon arrivée au Vieux-Nançay, j'avais interrogé mon oncle Firmin sur le Domaine des Sablonnières.

« Ce n'est plus un Domaine, avait-il dit. On a tout

vendu, et les acquéreurs, des chasseurs, ont fait abattre
les vieux bâtiments pour agrandir leurs terrains de
chasse; la cour d'honneur n'est plus maintenant qu'une
lande de bruyères et d'ajoncs. Les anciens possesseurs
n'ont gardé qu'une petite maison d'un étage et la
ferme. Tu auras bien l'occasion de voir ici mademoiselle
de Galais; c'est elle-même qui vient faire ses provisions,
tantôt en selle, tantôt en voiture, mais toujours avec le
même cheval, le vieux Bélisaire... C'est un drôle d'équipage !»

J'étais si troublé que je ne savais plus quelle question poser pour en apprendre davantage.

« Ils étaient riches, pourtant?

— Oui. Monsieur de Galais donnait des fêtes pour
amuser son fils, un garçon étrange, plein d'idées extraordinaires. Pour le distraire, il imaginait ce qu'il pouvait. On faisait venir des Parisennes... des gars de Paris
et d'ailleurs...

» Toutes les Sablonnières étaient en ruine, madame
de Galais près de sa fin, qu'ils cherchaient encore à
l'amuser et lui passaient toutes ses fantaisies. C'est l'hiver dernier — non, l'autre hiver, qu'ils ont fait leur
plus grande fête costumée. Ils avaient invité moitié gens
de Paris et moitié gens de campagne. Ils avaient acheté
ou loué des quantités d'habits merveilleux, des jeux,
des chevaux, des bateaux. Toujours pour amuser Frantz
de Galais. On disait qu'il allait se marier et qu'on
fêtait là ses fiançailles. Mais il était bien trop jeune.
Et tout a cassé d'un coup; il s'est sauvé; on ne l'a
jamais revu... La châtelaine morte, mademoiselle de
Galais est restée soudain toute seule avec son père, le
vieux capitaine de vaisseau.

— N'est-elle pas mariée? demandai-je enfin.

— Non, dit-il, je n'ai entendu parler de rien. Serais-
tu un prétendant? »

Tout déconcerté, je lui avouai aussi brièvement, aussi
discrètement que possible, que mon meilleur ami, Augustin Meaulnes, peut-être en serait un.

« Ah! dit Florentin, en souriant, s'il ne tient pas à la
fortune, c'est un joli parti... Faudra-t-il que j'en parle
à monsieur de Galais? Il vient encore quelquefois jusqu'ici chercher du petit plomb pour la chasse. Je lui
fais toujours goûter ma vieille eau-de-vie de marc ».

Mais je le priai bien vite de n'en rien faire, d'attendre. Et moi-même je ne me hâtai pas de prévenir
Meaulnes. Tant d'heureuses chances accumulées m'in-
quiétaient un peu. Et cette inquiétude me commandait
de ne rien annoncer à Meaulnes que je n'eusse au
moins vu la jeune fille.

Je n'attendis pas longtemps. Le lendemain, un peu
avant le dîner, la nuit commençait à tomber; une
brume fraîche, plutôt de septembre que d'août, descendait avec la nuit. Firmin et moi, pressentant le magasin
vide d'acheteurs un instant, nous étions venus voir
Marie-Louise et Charlotte. Je leur avais confié le secret
qui m'amenait au Vieux-Nançay à cette date préma-
turée. Accoudés sur le comptoir ou assis les deux mains
à plat sur le bois ciré, nous nous racontions mutuel-
lement ce que nous savions de la mystérieuse
jeune fille — et cela se réduisait à fort peu de
chose — lorsqu'un bruit de roues nous fit tourner la
tête.

« La voici, c'est elle », dirent-ils à voix basse.

Quelques secondes après, devant la porte vitrée, s'arrêtait l'étrange équipage. Une vieille voiture de ferme,
aux panneaux arrondis, avec de petites galeries moulées,
comme nous n'en avions jamais vu dans cette contrée;
un vieux cheval blanc qui semblait toujours vouloir
brouter quelque herbe sur la route, tant il baissait la
tête pour marcher; et sur le siège — je le dis dans la
simplicité de mon cœur, mais sachant bien ce que je
dis — la jeune fille la plus belle qu'il y ait peut-être
jamais eu au monde.

Jamais je ne vis tant de grâce s'unir à tant de gravité. Son costume lui faisait la taille si mince qu'elle

semblait fragile. Un grand manteau marron, qu'elle
enleva en entrant, était jeté sur ses épaules. C'était la
plus grave des jeunes filles, la plus frêle des femmes.
Une lourde chevelure blonde pesait sur son front et
sur son visage, délicatement dessiné, finement modelé.
Sur son teint très pur, l'été avait posé deux taches de
rousseur... Je ne remarquai qu'un défaut à tant de
beauté : aux moments de tristesse, de découragement
ou seulement de réflexion profonde, ce visage si pur
se marbrait légèrement de rouge, comme il arrive chez
certains malades atteints gravement sans qu'on le sache.
Alors toute l'admiration de celui qui la regardait faisait place à une sorte de pitié d'autant plus déchirante
qu'elle surprenait davantage.

Voilà du moins ce que je découvrais, tandis qu'elle
descendait lentement de voiture et qu'enfin Marie-
Louise, me présentant avec aisance à la jeune fille,
m'engageait à lui parler.

On lui avança une chaise cirée et elle s'assit, ados-
sée au comptoir, tandis que nous restions debout. Elle
paraissait bien connaître et aimer le magasin. Ma tante
Julie, aussitôt prévenue. arriva, et. le temps qu'elle
parla, sagement, les mains croisées sur son ventre,
hochant doucement sa tête de paysanne-commerçante
coiffée d'un bonnet blanc, retarda le moment — qui
me faisait trembler un peu — où la conversation s'en-
gagerait avec moi...

Ce fut très simple.

« Ainsi, dit Mlle de Galais, vous serez bientôt
instituteur ? »

Ma tante allumait au-dessus de nos têtes la lampe
de porcelaine qui éclairait faiblement le magasin. Je
voyais le doux visage enfantin de la jeune fille, ses
yeux bleus si ingénus, et j'étais d'autant plus surpris
de sa voix si nette, si sérieuse. Lorsqu'elle cessait de
parler. ses yeux se fixaient ailleurs, ne bougeaient plus
en attendant la réponse, et elle tenait sa lèvre un peu
mordue.

« J'enseignerais, moi aussi, dit-elle, si M. de Galais voulait! J'enseignerais les petits garçons, comme votre mère... »

Et elle sourit, montrant ainsi que mes cousins lui avaient parlé de moi.

« C'est, continua-t-elle, que les villageois sont toujours avec moi polis, doux et serviables. Et je les aime beaucoup. Mais aussi quel mérite ai-je à les aimer?...

» Tandis qu'avec l'institutrice, ils sont, n'est-ce pas? chicaniers et avares. Il y a sans cesse des histoires de porte-plume perdus, de cahiers trop chers ou d'enfants qui n'apprennent pas... Eh bien, je me débattrais avec eux et ils m'aimeraient tout de même. Ce serait beaucoup plus difficile... »

Et, sans sourire, elle reprit sa pose songeuse et enfantine, son regard bleu, immobile.

Nous étions gênés tous les trois par cette aisance à parler des choses délicates, de ce qui est secret, subtil, et dont on ne parle bien que dans les livres. Il y eut un instant de silence; et lentement une discussion s'engagea...

Mais avec une sorte de regret et d'animosité contre je ne sais quoi de mystérieux dans sa vie, la jeune demoiselle poursuivit :

« Et puis j'apprendrais aux garçons à être sages, d'une sagesse que je sais. Je ne leur donnerais pas le désir de courir le monde, comme vous le ferez sans doute, monsieur Seurel, quand vous serez sous-maître. Je leur enseignerais à trouver le bonheur qui est tout près d'eux et qui n'en a pas l'air... »

Marie-Louise et Firmin étaient interdits comme moi. Nous restions sans mot dire. Elle sentit notre gêne et s'arrêta, se mordit la lèvre, baissa la tête, puis elle sourit comme si elle se moquait de nous :

« Ainsi, dit-elle, il y a peut-être quelque grand jeune homme fou qui me cherche au bout du monde, pendant que je suis ici, dans le magasin de madame

Florentin, sous cette lampe, et que mon vieux cheval m'attend à la porte. Si ce jeune homme me voyait, il ne voudrait pas y croire, sans doute ?... »

De la voir sourire, l'audace me prit et je sentis qu'il était temps de dire, en riant aussi :

« Et peut-être que ce grand jeune homme fou, je le connais, moi ? »

Elle me regarda vivement.

A ce moment le timbre de la porte sonna, deux bonnes femmes entrèrent avec des paniers :

« Venez dans la « salle à manger », vous serez en paix », nous dit ma tante en poussant la porte de la cuisine.

Et comme Mlle de Galais refusait et voulait partir aussitôt, ma tante ajouta :

« Monsieur de Galais est ici et cause avec Florentin, auprès du feu ».

Il y avait toujours, même au mois d'août, dans la grande cuisine, un éternel fagot de sapins qui flambait et craquait. Là aussi une lampe de porcelaine était allumée et un vieillard au doux visage, creusé et rasé, presque toujours silencieux comme un homme accablé par l'âge et les souvenirs, était assis auprès de Florentin devant deux verres de marc.

Florentin salua :

« François ! cria-t-il de sa forte voix de marchand forain, comme s'il y avait eu entre nous une rivière ou plusieurs hectares de terrain, je viens d'organiser un après-midi de plaisir au bord du Cher pour jeudi prochain. Les uns chasseront, les autres pêcheront, les autres danseront, les autres se baigneront !... Mademoiselle, vous viendrez à cheval; c'est entendu avec monsieur de Galais. J'ai tout arrangé...

» Et, François ! ajouta-t-il comme s'il y eût seulement pensé, tu pourras amener ton ami, monsieur Meaulnes... C'est bien Meaulnes qu'il s'appelle ? »

Mlle de Galais s'était levée, soudain devenue très pâle. Et, à ce moment précis, je me rappelai que Meaulnes, autrefois, dans le Domaine singulier, près de l'étang, lui avait dit son nom...

Lorsqu'elle me tendit la main, pour partir, il y avait entre nous, plus clairement que si nous avions dit beaucoup de paroles, une entente secrète que la mort seule devait briser et une amitié plus pathétique qu'un grand amour.

... A quatre heures, le lendemain matin, Firmin frappait à la porte de la petite chambre que j'habitais dans la cour aux pintades. Il faisait nuit encore et j'eus grand'peine à retrouver mes affaires sur la table encombrée de chandeliers de cuivre et de statuettes de bons saints toutes neuves, choisies au magasin pour meubler mon logis la veille de mon arrivée. Dans la cour, j'entendais Firmin gonfler ma bicyclette, et ma tante dans la cuisine souffler le feu. Le soleil se levait à peine lorsque je partis. Mais ma journée devait être longue : j'allais d'abord déjeuner à Sainte-Agathe pour expliquer mon absence prolongée et, poursuivant ma course, je devais arriver avant le soir à La Ferté-d'Angillon, chez mon ami Augustin Meaulnes.

CHAPITRE III

UNE APPARITION

Je n'avais jamais fait de longue course à bicyclette. Celle-ci était la première. Mais, depuis longtemps, malgré mon mauvais genou, en cachette, Jasmin m'avait appris à monter. Si déjà pour un jeune homme ordinaire la bicyclette est un instrument bien amusant, que ne devait-elle pas sembler à un pauvre garçon comme moi, qui naguère encore traînais misérablement la jambe, trempé de sueur, dès le quatrième kilomètre!... Du haut des côtes, descendre et s'enfoncer dans le creux des paysages; découvrir comme à coups d'ailes les lointains de la route qui s'écartent et fleurissent à votre approche; traverser un village dans l'espace d'un instant et l'emporter tout entier d'un coup d'œil... En rêve seulement j'avais connu jusque-là course aussi charmante, aussi légère. Les côtes mêmes me trouvaient plein d'entrain. Car c'était, il faut le dire, le chemin du pays de Meaulnes que je buvais ainsi...

« Un peu avant l'entrée du bourg, me disait Meaulnes, lorsque jadis il décrivait son village, on voit une grande roue à palettes que le vent fait tourner... » Il ne savait pas à quoi elle servait, ou peut-être feignait-il de n'en rien savoir pour piquer ma curiosité davantage.

C'est seulement au déclin de cette journée de fin d'août que j'aperçus, tournant au vent dans une immense prairie, la grande roue qui devait monter l'eau pour une métairie voisine. Derrière les peupliers du pré se découvraient déjà les premiers faubourgs. A mesure que je suivais le grand détour que faisait la route pour contourner le ruisseau, le paysage s'épanouissait et s'ouvrait... Arrivé sur le pont, je découvris enfin la grand'rue du village.

Des vaches paissaient, cachées dans les roseaux de la prairie et j'entendais leurs cloches, tandis que, descendu de bicyclette, les deux mains sur mon guidon, je regardais le pays où j'allais porter une si grave nouvelle. Les maisons, où l'on entrait en passant sur un petit pont de bois, étaient toutes alignées au bord d'un fossé qui descendait la rue, comme autant de barques, voiles carguées, amarrées dans le calme du soir. C'était l'heure où dans chaque cuisine on allume un feu.

Alors la crainte et je ne sais quel obscur regret de venir troubler tant de paix commencèrent à m'enlever tout courage. A point pour aggraver ma soudaine faiblesse, je me rappelai que la tante Moinel habitait là, sur une petite place de La Ferté d'Angillon.

C'était une de mes grand'tantes. Tous ses enfants étaient morts et j'avais bien connu Ernest, le dernier de tous, un grand garçon qui allait être instituteur. Mon grand-oncle Moinel, le vieux greffier, l'avait suivi de près. Et ma tante était restée toute seule dans sa bizarre petite maison où les tapis étaient faits d'échantillons cousus, les tables couvertes de coqs, de poules et de chats en papier — mais où les murs étaient tapissés de vieux diplômes, de portraits de défunts, de médaillons en boucles de cheveux morts.

Avec tant de regrets et de deuil, elle était la bizarrerie et la bonne humeur mêmes. Lorsque j'eus découvert la petite place où se tenait sa maison, je l'appelai bien fort par la porte entr'ouverte, et je l'entendis tout au bout des trois pièces en enfilade pousser un petit cri suraigu :

« Eh là ! Mon Dieu ! »

Elle renversa son café dans le feu — à cette heure-là comment pouvait-elle faire du café ? — et elle apparut... Très cambrée en arrière, elle portait une sorte de chapeau-capote-capeline sur le faîte de la tête, tout en haut de son front immense et cabossé où il y avait de la femme mongole et de la Hottentote ; et elle riait à petits coups, montrant le reste de ses dents très fines.

Mais tandis que je l'embrassais, elle me prit maladroitement, hâtivement, une main que j'avais derrière le dos. Avec un mystère parfaitement inutile puisque nous étions tous les deux seuls, elle me glissa une petite pièce que je n'osai pas regarder et qui devait être de un franc... Puis comme je faisais mine de demander des explications ou de la remercier, elle me donna une bourrade en criant :

« Va donc ! Ah ! je sais bien ce que c'est ! »

Elle avait toujours été pauvre, toujours empruntant, toujours dépensant.

« J'ai toujours été bête et toujours malheureuse », disait-elle sans amertume mais de sa voix de fausset.

Persuadée que les sous me préoccupaient comme elle, la brave femme n'attendait pas que j'eusse soufflé pour me cacher dans la main ses très minces économies de la journée. Et par la suite c'est toujours ainsi qu'elle m'accueillit.

Le dîner fut aussi étrange — à la fois triste et bizarre — que l'avait été la réception. Toujours une bougie à portée de la main, tantôt elle l'enlevait, me laissant dans l'ombre, et tantôt la posait sur la petite table couverte de plats et de vases ébréchés ou fendus.

« Celui-là, disait-elle, les Prussiens lui ont cassé les anses, en soixante-dix, parce qu'ils ne pouvaient pas l'emporter ».

Je me rappelai seulement alors, en revoyant ce grand vase à la tragique histoire, que nous avions dîné et couché là jadis. Mon père m'emmenait dans l'Yonne, chez un spécialiste qui devait guérir mon genou. Il fallait prendre un grand express qui passait avant le jour... Je me souvins du triste dîner de jadis, de toutes les histoires du vieux greffier accoudé devant sa bouteille de boisson rose.

Et je me souvenais aussi de mes terreurs... Après le dîner, assise devant le feu, ma grand'tante avait pris mon père à part pour lui raconter une histoire de revenants : « Je me retourne... Ah! mon pauvre Louis, qu'est-ce que je vois, une petite femme grise... » Elle passait pour avoir la tête farcie de ces sornettes terrifiantes.

Et voici que ce soir-là, le dîner fini, lorsque, fatigué par la bicyclette, je fus couché dans la grande chambre avec une chemise de nuit à carreaux de l'oncle Moinel, elle vint s'asseoir à mon chevet et commença de sa voix la plus mystérieuse et la plus pointue :

« Mon pauvre François, il faut que je te raconte à toi ce que je n'ai jamais dit à personne... »

Je pensai :

« Mon affaire est bonne, me voilà terrorisé pour toute la nuit, comme il y a dix ans !... »

Et j'écoutai. Elle hochait la tête, regardant droit devant soi comme si elle se fût raconté l'histoire à elle-même :

« Je revenais d'une fête avec Moinel. C'était le premier mariage où nous allions tous les deux, depuis la mort de notre pauvre Ernest; et j'y avais rencontré ma sœur Adèle que je n'avais pas vue depuis quatre ans ! Un vieil ami de Moinel, très riche, l'avait invité à la noce de son fils, au domaine des Sablonnières. Nous avions loué une voiture. Cela nous avait coûté bien cher. Nous revenions sur la route vers sept heures du matin, en plein hiver. Le soleil se levait. Il n'y avait absolument personne. Qu'est-ce que je vois tout d'un coup devant nous, sur la route ? Un petit homme. un petit jeune homme arrêté, beau comme le jour, qui ne bougeait pas, qui nous regardait venir. A mesure que nous approchions, nous distinguions sa jolie figure, si blanche, si jolie que cela faisait peur !...

» Je prends le bras de Moinel; je tremblais comme la feuille; je croyais que c'était le Bon Dieu !.... Je lui dis :

» — Regarde ! C'est une apparition !

» Il me répond tout bas, furieux :

» — Je l'ai bien vu ! Tais-toi donc, vieille bavarde... »

» Il ne savait que faire; lorsque le cheval s'est arrêté... De près, cela avait une figure pâle, le front en sueur, un béret sale et un pantalon long. Nous entendîmes sa voix douce, qui disait :

» — Je ne suis pas un homme, je suis une jeune fille. Je me suis sauvée et je n'en puis plus. Voulez-vous bien me prendre dans votre voiture, monsieur et madame? »

» Aussitôt nous l'avons fait monter. A peine assise, elle a perdu connaissance. Et devines-tu à qui nous avions affaire? C'était la fiancée du jeune homme des Sablonnières, Frantz de Galais, chez qui nous étions invités aux noces !

— Mais il n'y a pas eu de noces, dis-je, puisque la fiancée s'est sauvée !

— Eh bien, non, fit-elle toute penaude en me regardant. Il n'y a pas eu de noces. Puisque cette pauvre folle s'était mis dans la tête mille folies qu'elle nous a expliquées. C'était une des filles d'un pauvre tisserand. Elle était persuadée que tant de bonheur était impossible; que le jeune homme était trop jeune pour elle; que toutes les merveilles qu'il lui décrivait étaient imaginaires, et lorsqu'enfin Frantz est venu la chercher, Valentine a pris peur. Il se promenait avec elle et sa sœur dans le jardin de l'Archevêché à Bourges, malgré le froid et le grand vent. Le jeune homme, par délicatesse certainement et parce qu'il aimait la cadette, était plein d'attentions pour l'aînée. Alors ma folle s'est imaginé je ne sais quoi; elle a dit qu'elle allait chercher un fichu à la maison; et là, pour être sûre de n'être pas suivie, elle a revêtu des habits d'homme et s'est enfuie à pied sur la route de Paris.

» Son fiancé a reçu d'elle une lettre où elle lui déclarait qu'elle allait rejoindre un jeune homme qu'elle aimait. Et ce n'était pas vrai...

» — Je suis plus heureuse de mon sacrifice, me disait-elle, que si j'étais sa femme ». Oui, mon imbécile, mais en attendant, il n'avait pas du tout l'idée d'épouser sa sœur; il s'est tiré une balle de pistolet; on a vu le sang dans le bois; mais on n'a jamais retrouvé son corps.

— Et qu'avez-vous fait de cette malheureuse fille?

— Nous lui avons fait boire une goutte, d'abord. Puis nous lui avons donné à manger et elle a dormi auprès du feu quand nous avons été de retour. Elle est restée chez nous une bonne partie de l'hiver. Tout le jour, tant qu'il faisait clair, elle taillait, cousait des robes, arrangeait des chapeaux et nettoyait la maison avec rage. C'est elle qui a recollé toute la tapisserie que tu vois là. Et depuis son passage les hirondelles nichent dehors. Mais, le soir, à la tombée de la nuit, son ouvrage fini, elle trouvait toujours un prétexte pour aller dans la cour, dans le jardin, ou sur le devant de la porte, même quand il gelait à pierre fendre. Et on la découvrait là, debout, pleurant de tout son cœur.

» — Eh bien, qu'avez-vous encore? Voyons?

» — Rien, madame Moinel! »

» — Et elle rentrait.

» Les voisins disaient :

» — Vous avez trouvé une bien jolie petite bonne, » madame Moinel.

» Malgré nos supplications, elle a voulu continuer son chemin sur Paris, au mois de mars; je lui ai donné des robes qu'elle a retaillées, Moinel lui a pris son billet à la gare et donné un peu d'argent.

» Elle ne nous a pas oubliés; elle est couturière à Paris auprès de Notre-Dame; elle nous écrit encore pour nous demander si nous ne savons rien des Sablonnières. Une bonne fois, pour la délivrer de cette idée, je lui ai répondu que le domaine était vendu, abattu, le jeune homme disparu pour toujours et la jeune fille mariée. Tout cela doit être vrai, je pense. Depuis ce temps ma Valentine écrit bien moins souvent... »

Ce n'était pas une histoire de revenants que racontait la tante Moinel de sa petite voix stridente si bien faite pour les raconter. J'étais cependant au comble du malaise. C'est que nous avions juré à Frantz le bohémien de le servir comme des frères et voici que l'occasion m'en était donnée...

Or, était-ce le moment de gâter la joie que j'allais porter à Meaulnes le lendemain matin, et de lui dire ce que je venais d'apprendre ? A quoi bon le lancer dans une entreprise mille fois impossible ? Nous avions en effet l'adresse de la jeune fille; mais où chercher le bohémien qui courait le monde ?... Laissons les fous avec les fous, pensai-je. Delouche et Boujardon n'avaient pas tort. Que de mal nous a fait ce Frantz romanesque ! Et je résolus de ne rien dire tant que je n'aurais pas vu mariés Augustin Meaulnes et Mlle de Galais.

Cette résolution prise, il me restait encore l'impression pénible d'un mauvais présage — impression absurde que je chassai bien vite.

La chandelle était presque au bout; un moustique vibrait; mais la tante Moinel, la tête penchée sous sa capote de velours qu'elle ne quittait que pour dormir, les coudes appuyés sur ses genoux, recommençait son histoire... Par moments, elle relevait brusquement la tête et me regardait pour connaître mes impressions, ou peut-être pour voir si je ne m'endormais pas. A la fin, sournoisement, la tête sur l'oreiller, je fermai les yeux, faisant semblant de m'assoupir.

« Allons ! tu dors... », fit-elle d'un ton plus sourd et un peu déçu.

j'eus pitié d'elle et je protestai :

« Mais non, ma tante, je vous assure...

— Mais si ! dit-elle. Je comprends bien d'ailleurs que tout cela ne t'intéresse guère. Je te parle là de gens que tu n'as pas connus... »

Et lâchement, cette fois, je ne répondis pas.

CHAPITRE IV

LA GRANDE NOUVELLE

Il faisait, le lendemain matin, quand j'arrivai dans la grand'rue, un si beau temps de vacances, un si grand calme, et sur tout le bourg passaient des bruits si paisibles, si familiers, que j'avais retrouvé toute la joyeuse assurance d'un porteur de bonne nouvelle...

Augustin et sa mère habitaient l'ancienne maison d'école. A la mort de son père, retraité depuis long-temps, et qu'un héritage avait enrichi, Meaulnes avait voulu qu'on achetât l'école où le vieil instituteur avait enseigné pendant vingt années, où lui-même avait appris à lire. Non pas qu'elle fût d'aspect fort aimable : c'était une grosse maison carrée comme une mairie qu'elle avait été; les fenêtres du rez-de-chaussée qui donnaient sur la rue étaient si hautes que personne n'y regardait jamais; et la cour de derrière, où il n'y avait pas un arbre et dont un haut préau barrait la vue sur la campagne, était bien la plus sèche et la plus désolée cour d'école abandonnée que j'aie jamais vue...

Dans le couloir compliqué où s'ouvraient quatre portes, je trouvai la mère de Meaulnes rapportant du jardin un gros paquet de linge, qu'elle avait dû mettre sécher dès la première heure de cette longue matinée de vacances. Ses cheveux gris étaient à demi défaits; des mèches lui battaient la figure; son visage régulier sous sa coiffure ancienne était bouffi et fatigué, comme par une nuit de veille; et elle baissait tristement la tête d'un air songeur.

Mais, m'apercevant soudain, elle me reconnut et sourit :

« Vous arrivez à temps, dit-elle. Voyez, je rentre le linge que j'ai fait sécher pour le départ d'Augustin. J'ai passé la nuit à régler ses comptes et à préparer ses affaires. Le train part à cinq heures, mais nous arriverons à tout apprêter... »

On eût dit, tant elle montrait d'assurance, qu'elle-même avait pris cette décision. Or, sans doute ignorait-elle même où Meaulnes devait aller.

« Montez, dit-elle, vous le trouverez dans la mairie en train d'écrire ».

En hâte je grimpai l'escalier, ouvris la porte de droite où l'on avait laissé l'écriteau *Mairie,* et me trouvai dans une grande salle à quatre fenêtres, deux sur le bourg, deux sur la campagne, ornée aux murs des portraits jaunis des présidents Grévy et Carnot. Sur une longue estrade qui tenait tout le fond de la salle, il y avait encore, devant une table à tapis vert, les chaises des conseillers municipaux. Au centre, assis sur un vieux fauteuil qui était celui du maire, Meaulnes écrivait, trempant sa plume au fond d'un encrier de faïence démodé, en forme de cœur. Dans ce lieu qui semblait fait pour quelque rentier de village, Meaulnes se retirait, quand il ne battait pas la contrée, durant les longues vacances...

Il se leva, dès qu'il m'eut reconnu, mais non pas avec la précipitation que j'avais imaginée :

« Seurel ! » dit-il seulement, d'un air de profond étonnement.

C'était le même grand gars au visage osseux, à la tête rasée. Une moustache inculte commençait à lui traîner sur les lèvres. Toujours ce même regard loyal... Mais sur l'ardeur des années passées on croyait voir comme un voile de brume, que par instants sa grande passion de jadis dissipait...

Il paraissait très troublé de me voir. D'un bond
j'étais monté sur l'estrade. Mais, chose étrange à dire,
il ne songea pas même à me tendre la main. Il s'était
tourné vers moi, les mains derrière le dos, appuyé
contre la table, renversé en arrière, et l'air profondément gêné. Déjà, me regardant sans me voir, il était
absorbé par ce qu'il allait me dire. Comme autrefois
et comme toujours, homme lent à commencer de parler,
ainsi que sont les solitaires, les chasseurs et les hommes
d'aventures, il avait pris une décision sans se soucier des
mots qu'il faudrait pour l'expliquer. Et maintenant
que j'étais devant lui, il commençait seulement à ruminer péniblement les paroles nécessaires.

Cependant, je lui racontais avec gaieté comment
j'étais venu, où j'avais passé la nuit et que j'avais
été bien surpris de voir Mme Meaulnes préparer le
départ de son fils...   ,

« Ah! elle t'a dit?... demanda-t-il.

— Oui. Ce n'est pas, je pense, pour un long voyage ?

— Si, un très long voyage ».

Un instant décontenancé, sentant que j'allais tout à
l'heure, d'un mot, réduire à néant cette décision que
je ne comprenais pas, je n'osais plus rien dire et ne
savais par où commencer ma mission.

Mais lui-même parla enfin, comme quelqu'un qui
veut se justifier.   .

« Seurel ! dit-il, tu sais ce qu'était pour moi mon
étrange aventure de Sainte-Agathe. C'était ma raison
de vivre et d'avoir de l'espoir. Cet espoir-là perdu, que
pouvais-je devenir ?... Comment vivre à la façon de tout
le monde !

» Eh bien j'ai essayé de vivre là-bas, à Paris, quand
j'ai vu que tout était fini et qu'il ne valait plus même
la peine de chercher le Domaine perdu... Mais un
homme qui a fait une fois un bond dans le paradis,
comment pourrait-il s'accommoder ensuite de la vie
de tout le monde ? Ce qui est le bonheur des autres
m'a paru dérision. Et lorsque, sincèrement, déli-

bérément, j'ai décidé un jour de faire comme les autres, ce jour-là j'ai amassé du remords pour long-temps... »

Assis sur une chaise de l'estrade, la tête basse, l'écou-tant sans le regarder, je ne savais que penser de ces explications obscures :

« Enfin, dis-je, Meaulnes, explique-toi mieux ! Pour-quoi ce long voyage ? As-tu quelque faute à réparer ? Une promesse à tenir ?

— Eh bien, oui, répondit-il. Tu te souviens de cette promesse que j'avais faite à Frantz ?...

— Ah ! fis-je, soulagé, il ne s'agit que de cela ?...

— De cela. Et peut-être aussi d'une faute à réparer. Les deux en même temps... »

Suivit un moment de silence pendant lequel je décidai de commencer à parler et préparai mes mots...

« Il n'y a qu'une explication à laquelle je croie, dit-il encore. Certes, j'aurais voulu revoir une fois mademoi-selle de Galais, seulement la revoir... Mais, j'en suis per-suadé maintenant, lorsque j'avais découvert le Domaine sans nom, j'étais à une hauteur, à un degré de perfection et de pureté que je n'atteindrai jamais plus. Dans la mort seulement, comme je te l'écrivais un jour, je re-trouverai peut-être la beauté de ce temps-là... »

Il changea de ton pour reprendre avec une animation étrange, en se rapprochant de moi :

« Mais, écoute, Seurel ! Cette intrigue nouvelle et ce grand voyage, cette faute que j'ai commise et qu'il faut réparer, c'est, en un sens, mon ancienne aventure qui se poursuit... »

Un temps, pendant lequel péniblement il essaya de ressaisir ses souvenirs. J'avais manqué l'occasion pré-cédente. Je ne voulais pour rien au monde laisser passer celle-ci; et, cette fois, je parlai — trop vite, car je regrettai amèrement plus tard, de n'avoir pas attendu ses aveux.

Je prononçai donc ma phrase, qui était préparée pour

l'instant d'avant, mais qui n'allait plus maintenant. Je
dis, sans un geste, à peine en soulevant un peu la
tête :

« Et si je venais t'annoncer que tout espoir n'est pas
perdu ?... »

Il me regarda, puis, détournant brusquement les
yeux, rougit comme je n'ai jamais vu quelqu'un
rougir : une montée de sang qui devait lui cogner
à grands coups dans les tempes...

« Que veux-tu dire ? » demanda-t-il enfin, à peine
distinctement.

Alors, tout d'un trait, je racontai ce que je savais,
ce que j'avais fait, et comment, la face des choses ayant
tourné, il semblait presque que ce fût Yvonne de Galais
qui m'envoyait vers lui.

Il était maintenant affreusement pâle.

Durant tout ce récit, qu'il écoutait en silence, la tête
un peu rentrée, dans l'attitude de quelqu'un qu'on a
surpris et qui ne sait comment se défendre, se cacher
ou s'enfuir, il ne m'interrompit, je me rappelle, qu'une
seule fois. Je lui racontais, en passant, que toutes les
Sablonnières avaient été démolies et que le Domaine
d'autrefois n'existait plus :

« Ah ! dit-il, tu vois... (comme s'il eût guetté une
occasion de justifier sa conduite et le désespoir où il
avait sombré) tu vois : il n'y a plus rien... »

Pour terminer, persuadé qu'enfin l'assurance de tant
de facilité emporterait le reste de sa peine, je lui racontai qu'une partie de campagne était organisée par
mon oncle Florentin, que Mlle de Galais devait y
venir à cheval et que lui-même était invité... Mais il
paraissait complètement désemparé et continuait à ne
rien répondre.

« Il faut tout de suite décommander ton voyage,
dis-je avec impatience. Allons avertir ta mère... »

Et comme nous descendions tous les deux :

« Cette partie de campagne ?... me demanda-t-il avec
hésitation. Alors, vraiment, il faut que j'y aille ?...

— Mais, voyons! répliquai-je, cela ne se demande pas ».

Il avait l'air de quelqu'un qu'on pousse par les épaules.

En bas, Augustin avertit Mme Meaulnes que je déjeunerais avec eux, dînerais, coucherais là et que, le lendemain, lui-même louerait une bicyclette et me suivrait au Vieux-Nançay.

« Ah! très bien », fit-elle, en hochant la tête, comme si ces nouvelles eussent confirmé toutes ses prévisions.

Je m'assis dans la petite salle à manger, sous les calendriers illustrés, les poignards ornementés et les outres soudanaises qu'un frère de M. Meaulnes, ancien soldat d'infanterie de marine, avait rapportés de ses lointains voyages.

Augustin me laissa là un instant, avant le repas, et, dans la chambre voisine, où sa mère avait préparé ses bagages, je l'entendis qui lui disait, en baissant un peu la voix, de ne pas défaire sa malle, — car son voyage pouvait être seulement retardé...

CHAPITRE V

LA PARTIE DE PLAISIR

J'eus peine à suivre Augustin sur la route du Vieux-Nançay. Il allait comme un coureur de bicyclette. Il ne descendait pas aux côtes. A son inexplicable hésitation de la veille avaient succédé une fièvre, une nervosité, un désir d'arriver au plus vite, qui ne laissaient pas de m'effrayer un peu. Chez mon oncle il montra la même impatience, il parut incapable de s'intéresser à rien jusqu'au moment où nous fûmes tous installés en voiture, vers dix heures, le lendemain matin, et prêts à partir pour les bords de la rivière.

On était à la fin du mois d'août, au déclin de l'été. Déjà les fourreaux vides des châtaigniers jaunis commençaient à joncher les routes blanches. Le trajet n'était pas long; la ferme des Aubiers, près du Cher où nous allions, ne se trouvait guère qu'à deux kilomètres au delà des Sablonnières. De loin en loin, nous rencontrions d'autres invités en voiture, et même des jeunes gens à cheval, que Florentin avait conviés audacieusement au nom de M. de Galais... On s'était efforcé comme jadis de mêler riches et pauvres, châtelains et paysans. C'est ainsi que nous vîmes arriver à bicyclette Jasmin Delouche, qui, grâce au garde Baladier, avait fait naguère la connaissance de mon oncle.

« Et voilà, dit Meaulnes en l'apercevant, celui qui

tenait la clef de tout, pendant que nous cherchions jusqu'à Paris. C'est à désespérer ! »

Chaque fois qu'il le regardait sa rancune en était augmentée. L'autre, qui s'imaginait au contraire avoir droit à toute notre reconnaissance, escorta notre voiture de très près, jusqu'au bout. On voyait qu'il avait fait, misérablement, sans grand résultat, des frais de toilette, et les pans de sa jaquette élimée battaient le garde-crotte de son vélocipède...

Malgré la contrainte qu'il s'imposait pour être aimable, sa figure vieillotte ne parvenait pas à plaire. Il m'inspirait plutôt à moi une vague pitié. Mais de qui n'aurais-je pas eu pitié durant cette journée-là ?...

Je ne me rappelle jamais cette partie de plaisir sans un obscur regret, comme une sorte d'étouffement. Je m'étais fait de ce jour tant de joie à l'avance ! Tout paraissait si parfaitement concerté pour que nous soyons heureux. Et nous l'avons été si peu !...

Que les bords du Cher étaient beaux, pourtant ! Sur la rive où l'on s'arrêta, le coteau venait finir en pente douce et la terre se divisait en petits prés verts, en saulaies séparées par des clôtures, comme autant de jardins minuscules. De l'autre côté de la rivière les bords étaient formés de collines grises, abruptes, rocheuses; et sur les plus lointaines on découvrait, parmi les sapins, de petits châteaux romantiques avec une tourelle. Au loin, par instants, on entendait aboyer la meute du château de Préveranges.

Nous étions arrivés en ce lieu par un dédale de petits chemins, tantôt hérissés de cailloux blancs, tantôt remplis de sable — chemins qu'aux abords de la rivière les sources vives tranformaient en ruisseaux. Au passage, les branches des groseilliers sauvages nous agrippaient par la manche. Et tantôt nous étions plongés dans la fraîche obscurité des fonds de ravins, tantôt au contraire, les haies interrompues, nous baignions dans la claire lumière de toute la vallée. Au loin sur l'autre rive, quand nous approchâmes, un homme accroché aux rocs, d'un geste lent, tendait des cordes à poissons. Qu'il faisait beau, mon Dieu !

Nous nous installâmes sur une pelouse, dans le retrait que formait un taillis de bouleaux. C'était une grande pelouse rase, où il semblait qu'il y eût place pour des jeux sans fin.

Les voitures furent dételées; les chevaux conduits à la ferme des Aubiers. On commença à déballer les provisions dans le bois, et à dresser sur la prairie de petites tables pliantes que mon oncle avait apportées.

Il fallut, à ce moment, des gens de bonne volonté, pour aller à l'entrée du grand chemin voisin guetter les derniers arrivants et leur indiquer où nous étions. Je m'offris aussitôt; Meaulnes me suivit, et nous allâmes nous poster près du pont suspendu, au carrefour de plusieurs sentiers et du chemin qui venait des Sablonnières.

Marchant de long en large, parlant du passé, tâchant tant bien que mal de nous distraire, nous attendions. Il arriva encore une voiture du Vieux-Nançay, des paysans inconnus avec une grande fille enrubannée. Puis plus rien. Si, trois enfants dans une voiture à âne, les enfants de l'ancien jardinier des Sablonnières.

« Il me semble que je les reconnais, dit Meaulnes. Ce sont eux, je crois bien, qui m'ont pris par la main, jadis, le premier soir de la fête, et m'ont conduit au dîner... »

Mais à ce moment, l'âne ne voulant plus marcher, les enfants descendirent pour le piquer, le tirer, cogner sur lui tant qu'ils purent; alors Meaulnes, déçu, prétendit s'être trompé...

Je leur demandai s'ils avaient rencontré sur la route M. et Mlle de Galais. L'un d'eux répondit qu'il ne savait pas; l'autre : « Je pense que oui, monsieur ». Et nous ne fûmes pas plus avancés. Ils descendirent enfin vers la pelouse, les uns tirant l'ânon par la bride, les autres poussant derrière la voiture. Nous reprîmes notre attente. Meaulnes regardait fixement le détour du chemin des Sablonnières, guettant avec une sorte d'effroi la venue de la jeune fille qu'il avait tant cherchée jadis. Un énervement bizarre et presque comique, qu'il passait sur Jasmin, s'était emparé de lui. Du petit talus où nous étions grimpés pour voir au loin le chemin, nous apercevions sur la pelouse, en contrebas, un groupe d'invités où Delouche essayait de faire bonne figure :

« Regarde-le pérorer, cet imbécile », me disait Meaulnes.

Et je lui répondais :

« Mais laisse-le. Il fait ce qu'il peut, le pauvre garçon ».

Augustin ne désarmait pas. Là-bas, un lièvre ou un écureuil avait dû déboucher d'un fourré. Jasmin, pour assurer sa contenance, fit mine de le poursuivre :

« Allons, bon! Il court, maintenant... », fit Meaulnes, comme si vraiment cette audace-là dépassait toutes les autres!

Et cette fois je ne pus m'empêcher de rire. Meaulnes aussi; mais ce ne fut qu'un éclair.

Après un nouveau quart d'heure :

« Si elle ne venait pas?... » dit-il.

Je répondis :

« Mais puisqu'elle a promis. Sois donc plus patient! »

Il recommença de guetter. Mais, à la fin, incapable de supporter plus longtemps cette attente intolérable :

« Ecoute-moi, dit-il. Je redescends avec les autres. Je ne sais ce qu'il y a maintenant contre moi : mais si je reste là, je sens qu'elle ne viendra jamais — qu'il est impossible qu'au bout de ce chemin, tout à l'heure, elle apparaisse ».

Et il s'en alla vers la pelouse, me laissant tout seul. Je fis quelque cent mètres sur la petite route, pour passer le temps. Et au premier détour j'aperçus Yvonne de Galais, montée en amazone sur son vieux cheval blanc, si fringant ce matin-là qu'elle était obligée de

tirer sur les rênes pour l'empêcher de trotter. A la tête
du cheval, péniblement, en silence, marchait M. de
Galais. Sans doute ils avaient dû se relayer sur la route,
chacun à tour de rôle se servant de la vieille monture.

Quand la jeune fille me vit tout seul, elle sourit, sauta
prestement à terre, et confiant les rênes à son père se
dirigea vers moi qui accourais :

« Je suis bien heureuse, dit-elle, de vous trouver
seul. Car je ne veux montrer à personne qu'à vous le
vieux Bélisaire, ni le mettre avec les autres chevaux.
Il est trop laid et trop vieux d'abord; puis je crains
toujours qu'il ne soit blessé par un autre. Or, je n'ose
monter que lui, et, quand il sera mort, je n'irai plus
à cheval ».

Chez Mlle de Galais, comme chez Meaulnes, je sentais
sous cette animation charmante, sous cette grâce en
apparence si paisible, de l'impatience et presque de
l'anxiété. Elle parlait plus vite qu'à l'ordinaire. Malgré
ses joues et ses pommettes roses, il y avait autour de
ses yeux, à son front, par endroits, une pâleur violente
où se lisait tout son trouble.

Nous convînmes d'attacher Bélisaire à un arbre dans
un petit bois, proche de la route. Le vieux M. de
Galais, sans mot dire comme toujours, sortit le licol
des fontes et attacha la bête — un peu bas à ce qu'il
me sembla. De la ferme je promis d'envoyer tout à
l'heure du foin, de l'avoine, de la paille...

Et Mlle de Galais arriva sur la pelouse comme jadis,
je l'imagine, elle descendit vers la berge du lac, lorsque
Meaulnes l'aperçut pour la première fois.

Donnant le bras à son père, écartant de sa main
gauche le pan du grand manteau léger qui l'enveloppait, elle s'avançait vers les invités, de son air à la fois
si sérieux et si enfantin. Je marchais auprès d'elle.
Tous les invités éparpillés ou jouant au loin s'étaient
dressés et rassemblés pour l'accueillir; il y eut un bref
instant de silence pendant lequel chacun la regarda
s'approcher.

Meaulnes s'était mêlé au groupe des jeunes hommes et rien ne pouvait le distinguer de ses compagnons, sinon sa haute taille : encore y avait-il là des jeunes gens presque aussi grands que lui. Il ne fit rien qui pût le désigner à l'attention, pas un geste ni un pas en avant. Je le voyais, vêtu de gris, immobile, regardant fixement, comme tous les autres, la si belle jeune fille qui venait. A la fin, pourtant, d'un mouvement inconscient et gêné, il avait passé sa main sur sa tête nue, comme pour cacher, au milieu de ses compagnons aux cheveux bien peignés, sa rude tête rasée de paysan.

Puis le groupe entoura Mlle de Galais. On lui présenta les jeunes filles et les jeunes gens qu'elle ne connaissait pas... Le tour allait venir de mon compagnon; et je me sentais aussi anxieux qu'il pouvait l'être. Je me disposais à faire moi-même cette présentation.

Mais avant que j'eusse pu rien dire, la jeune fille s'avançait vers lui avec une décision et une gravité surprenantes :

« Je reconnais Augustin Meaulnes », dit-elle.

Et elle lui tendit la main.

CHAPITRE VI

LA PARTIE DE PLAISIR *(fin)*

DE nouveaux venus s'approchèrent presque aussitôt pour saluer Yvonne de Galais, et les deux jeunes gens se trouvèrent séparés. Un malheureux hasard voulut qu'ils ne fussent point réunis pour le déjeuner à la même petite table. Mais Meaulnes semblait avoir repris confiance et courage. A plusieurs reprises, comme je me trouvais isolé entre Delouche et M. de Galais, je vis de loin mon compagnon qui me faisait, de la main, un signe d'amitié.

C'est vers la fin de la soirée seulement, lorsque les jeux, la baignade, les conversations, les promenades en bateau dans l'étang voisin se furent un peu partout organisés, que Meaulnes, de nouveau, se trouva en présence de la jeune fille. Nous étions à causer avec Delouche, assis sur des chaises de jardin que nous avions apportées, lorsque, quittant délibérément un groupe de jeunes gens où elle paraissait s'ennuyer, Mlle de Galais s'approcha de nous. Elle nous demanda, je me rappelle, pourquoi nous ne canotions pas sur le lac des Aubiers, comme les autres.

« Nous avons fait quelques tours cet après-midi, répondis-je. Mais cela est bien monotone et nous avons été vite fatigués.

— Eh bien, pourquoi n'iriez-vous pas sur la rivière? dit-elle.

— Le courant est trop fort, nous risquerions d'être emportés.

— Il nous faudrait, dit Meaulnes, un canot à pétrole ou un bateau à vapeur comme celui d'autrefois.

— Nous ne l'avons plus. dit-elle presque à voix basse, nous l'avons vendu ».

Et il se fit un silence gêné.

Jasmin en profita pour annoncer qu'il allait rejoindre M. de Galais.

« Je saurai bien, dit-il, où le retrouver ».

Bizarrerie du hasard! Ces deux êtres si parfaitement dissemblables s'étaient plu et depuis le matin ne se quittaient guère. M. de Galais m'avait pris à part un instant, au début de la soirée, pour me dire que j'avais là un ami plein de tact, de déférence et de qualités. Peut-être même avait-il été jusqu'à lui confier le secret de l'existence de Bélisaire et le lieu de sa cachette.

Je pensai moi aussi à m'éloigner, mais je sentais les deux jeunes gens si gênés, si anxieux l'un en face de l'autre, que je jugeai prudent de ne pas le faire...

Tant de discrétion de la part de Jasmin, tant de précaution de la mienne serviront à peu de chose. Ils parlèrent. Mais invariablement, avec un entêtement dont il ne se rendait certainement pas compte, Meaulnes en revenait à toutes les merveilles de jadis. Et chaque fois la jeune fille au supplice devait lui répéter que tout était disparu : la vieille demeure si étrange et si compliquée, abattue; le grand étang, asséché, comblé; et dispersés, les enfants aux charmants costumes...

« Ah! » faisait simplement Meaulnes avec désespoir et comme si chacune de ces disparitions lui eût donné raison contre la jeune fille ou contre moi...

Nous marchions côte à côte... Vainement j'essayais de faire diversion à la tristesse qui nous gagnait tous les trois. D'une question abrupte, Meaulnes, de nouveau, cédait à son idée fixe. Il demandait des renseignements sur tout ce qu'il avait vu autrefois : les petites

filles, le conducteur de la vieille berline, les poneys de
la course. « ... Les poneys sont vendus aussi? Il n'y a
plus de chevaux au Domaine?... »

Elle répondit qu'il n'y en avait plus. Elle ne parla
pas de Bélisaire.

Alors il évoqua les objets de sa chambre : les candélabres, la grande glace, le vieux luth brisé... Il s'en-
quérait de tout cela, avec une passion insolite, comme
s'il eût voulu se persuader que rien ne subsistait de sa
belle aventure, que la jeune fille ne lui rapporterait pas
une épave capable de prouver qu'ils n'avaient pas
rêvé tous les deux, comme le plongeur rapporte du
fond de l'eau un caillou et des algues.

Mlle de Galais et moi, nous ne pûmes nous empêcher de sourire tristement : elle se décida à lui expliquer :

« Vous ne reverrez pas le beau château que nous
avions arrangé, monsieur de Galais et moi, pour le
pauvre Frantz.

» Nous passions notre vie à faire ce qu'il demandait.
C'était un être si étrange, si charmant! Mais tout a
disparu avec lui le soir de ses fiançailles manquées.

» Déjà monsieur de Galais était ruiné sans que
nous le sachions. Frantz avait fait des dettes et ses
anciens camarades — apprenant sa disparition — ont
aussitôt réclamé auprès de nous. Nous sommes devenus
pauvres; madame de Galais est morte et nous avons
perdu tous nos amis en quelques jours.

» Que Frantz revienne, s'il n'est pas mort. Qu'il retrouve ses amis et sa fiancée; que la noce interrompue
se fasse et peut-être tout redeviendra-t-il comme c'était
autrefois. Mais le passé peut-il renaître?

— Qui sait! » dit Meaulnes pensif. Et il ne demanda
plus rien.

Sur l'herbe courte et légèrement jaunie déjà, nous
marchions tous les trois sans bruit : Augustin avait à
sa droite près de lui la jeune fille qu'il avait crue
perdue pour toujours. Lorsqu'il posait une de ces dures

questions, elle tournait vers lui lentement, pour lui
répondre, son charmant visage inquiet; et une fois,
en lui parlant, elle avait posé doucement sa main sur
son bras, d'un geste plein de confiance et de faiblesse.
Pourquoi le grand Meaulnes était-il là comme un
étranger, comme quelqu'un qui n'a pas trouvé ce qu'il
cherchait et que rien d'autre ne peut intéresser ? Ce
bonheur-là, trois ans plus tôt, il n'eût pu le supporter
sans effroi, sans folie, peut-être. D'où venait donc ce
vide, cet éloignement, cette impuissance à être heureux,
qu'il y avait en lui, à cette heure ?

Nous approchions du petit bois où le matin M. de
Galais avait attaché Bélisaire; le soleil vers son déclin
allongeait nos ombres sur l'herbe; à l'autre bout de la
pelouse, nous entendions, assourdis par l'éloignement,
comme un bourdonnement heureux, les voix des
joueurs et des fillettes, et nous restions silencieux dans
ce calme admirable, lorsque nous entendîmes chanter
de l'autre côté du bois, dans la direction des Aubiers,
la ferme du bord de l'eau. C'était la voix jeune et
lointaine de quelqu'un qui mène ses bêtes à l'abreuvoir,
un air rythmé comme un air de danse, mais que
l'homme étirait et alanguissait comme une vieille bal-
lade triste :

> Mes souliers sont rouges...
> Adieu, mes amours...
> Mes souliers sont rouges...
> Adieu, sans retour!...

Meaulnes avait levé la tête et écoutait. Ce n'était
rien qu'un de ces airs que chantaient les paysans attardés, au Domaine sans nom, le dernier soir de la
fête, quand déjà tout s'était écroulé... Rien qu'un souvenir — le plus misérable — de ces beaux jours qui ne
reviendraient plus.

« Mais vous l'entendez ? dit Meaulnes à mi-voix. Oh !
je vais aller voir qui c'est ». Et, tout de suite, il s'engagea dans le petit bois. Presque aussitôt la voix se

tut; on entendit encore une seconde l'homme siffler ses
bêtes en s'éloignant; puis plus rien...

Je regardai la jeune fille. Pensive et accablée, elle
avait les yeux fixés sur le taillis où Meaulnes venait de
disparaître. Que de fois, plus tard, elle devait regarder
ainsi, pensivement, le passage par où s'en irait à jamais
le grand Meaulnes !

Elle se retourna vers moi :

« Il n'est pas heureux », dit-elle douloureusement.

Elle ajouta :

« Et peut-être que je ne puis rien faire pour lui ?... »

J'hésitais à répondre, craignant que Meaulnes, qui
devait d'un saut avoir gagné la ferme et qui maintenant
revenait par le bois, ne surprît notre conversation. Mais
j'allais l'encourager cependant; lui dire de ne pas
craindre de brusquer le grand gars; qu'un secret sans
doute le désespérait et que jamais de lui-même il ne se
confierait à elle ni à personne — lorsque soudain, de
l'autre côté du bois, partit un cri; puis nous entendîmes
un piétinement comme d'un cheval qui pétarade et le
bruit d'une dispute à voix entrecoupées... Je compris
tout de suite qu'il était arrivé un accident au vieux
Bélisaire et je courus vers l'endroit d'où venait tout le
tapage. Mlle de Galais me suivit de loin. Du fond de
la pelouse on avait dû remarquer notre mouvement,
car j'entendis, au moment où j'entrai dans le taillis,
les cris des gens qui accouraient.

Le vieux Bélisaire, attaché trop bas, s'était pris une
patte de devant dans sa longe; il n'avait pas bougé jusqu'au moment où M. de Galais et Delouche, au cours
de leur promenade, s'étaient approchés de lui; effrayé,
excité par l'avoine insolite qu'on lui avait donnée, il
s'était débattu furieusement; les deux hommes avaient
essayé de le délivrer, mais si maladroitement qu'ils
avaient réussi à l'empêtrer davantage, tout en risquant
d'essuyer de dangereux coups de sabots. C'est à ce
moment que par hasard Meaulnes, revenant des Aubiers, était tombé sur le groupe. Furieux de tant de

gaucherie, il avait bousculé les deux hommes au risque de les envoyer rouler dans le buisson. Avec précaution mais en un tour de main il avait délivré Bélisaire. Trop tard, car le mal était déjà fait; le cheval devait avoir un nerf foulé, quelque chose de brisé peut-être, car il se tenait piteusement la tête basse, sa selle à demi dessanglée sur le dos, une patte repliée sous son ventre et toute tremblante. Meaulnes, penché, le tâtait et l'examinait sans rien dire.

Lorsqu'il releva la tête, presque tout le monde était là rassemblé, mais il ne vit personne. Il était fâché rouge.

« Je me demande, cria-t-il, qui a bien pu l'attacher de la sorte! Et lui laisser sa selle sur le dos toute la journée? Et qui a eu l'audace de seller ce vieux cheval, bon tout au plus pour une carriole ».

Delouche voulut dire quelque chose — tout prendre sur lui.

« Tais-toi donc! C'est ta faute encore. Je t'ai vu tirer bêtement sur sa longe pour le dégager ».

Et, se baissant de nouveau, il se remit à frotter le jarret du cheval avec le plat de la main.

M. de Galais, qui n'avait rien dit encore, eut le tort de vouloir sortir de sa réserve. Il bégaya :

« Les officiers de marine ont l'habitude... Mon cheval...

— Ah! il est à vous? » dit Meaulnes un peu calmé, très rouge, en tournant la tête de côté vers le vieillard.

Je crus qu'il allait changer de ton, faire des excuses. Il souffla un instant. Et je vis alors qu'il prenait un plaisir amer et désespéré à aggraver la situation, à tout briser à jamais, en disant avec insolence :

« Eh bien! je ne vous fais pas mon compliment ».

Quelqu'un suggéra :

« Peut-être que de l'eau fraîche... En le baignant dans le gué...

— Il faut, dit Meaulnes sans répondre, emmener tout de suite ce vieux cheval, pendant qu'il peut encore marcher — et il n'y a pas de temps à perdre! — le mettre à l'écurie et ne jamais plus l'en sortir ».

Plusieurs jeunes gens s'offrirent aussitôt. Mais Mlle de Galais les remercia vivement. Le visage en feu, prête à fondre en larmes, elle dit au revoir à tout le monde, et même à Meaulnes décontenancé, qui n'osa pas la regarder. Elle prit la bête par les rênes, comme on donne à quelqu'un la main, plutôt pour s'approcher d'elle davantage que pour la conduire... Le vent de cette fin d'été était si tiède sur le chemin des Sablonnières qu'on se serait cru au mois de mai, et les feuilles des haies tremblaient à la brise du sud... Nous la vîmes partir ainsi, son bras à demi sorti du manteau, tenant dans sa main étroite la grosse rêne de cuir. Son père marchait péniblement à côté d'elle...

Triste fin de soirée! Peu à peu, chacun ramassa ses paquets, ses couverts; on plia les chaises, on démonta les tables; une à une, les voitures chargées de bagages et de gens partirent, avec des chapeaux levés et des mouchoirs agités. Les derniers nous restâmes sur le terrain avec mon oncle Florentin, qui ruminait comme nous, sans rien dire, ses regrets et sa grosse déception.

Nous aussi, nous partîmes, emportés vivement, dans notre voiture bien suspendue, par notre beau cheval alezan. La roue grinça au tournant dans le sable et bientôt, Meaulnes et moi, qui étions assis sur le siège de derrière, nous vîmes disparaître sur la petite route l'entrée du chemin de traverse que le vieux Bélisaire et ses maîtres avaient pris...

Mais alors mon compagnon — l'être que je sache au monde le plus incapable de pleurer — tourna soudain vers moi son visage bouleversé par une irrésistible montée de larmes.

« Arrêtez, voulez-vous? dit-il en mettant la main sur l'épaule de Florentin. Ne vous occupez pas de moi. Je reviendrai tout seul, à pied ».

Et d'un bond, la main au garde-boue de la voiture, il sauta à terre. A notre stupéfaction, rebroussant che-

min, il se prit à courir, et courut jusqu'au petit chemin que nous venions de passer, le chemin des Sablonnières. Il dut arriver au Domaine par cette allée de
sapins qu'il avait suivie jadis, où il avait entendu,
vagabond caché dans les basses branches, la conversation mystérieuse des beaux enfants inconnus...

Et c'est ce soir-là, avec des sanglots, qu'il demanda
en mariage Mlle de Galais.

CHAPITRE VII

C'est un jeudi, au commencement de février, un beau
jeudi soir glacé, où le grand vent souffle. Il est trois
heures et demie, quatre heures... Sur les haies, auprès
des bourgs, les lessives sont étendues depuis midi et
sèchent à la bourrasque. Dans chaque maison, le feu
de la salle à manger fait luire tout un reposoir de
joujoux vernis. Fatigué de jouer, l'enfant s'est assis
auprès de sa mère et il lui fait raconter la journée
de son mariage...

Pour celui qui ne veut pas être heureux, il n'a qu'à
monter dans son grenier et il entendra, jusqu'au soir,
siffler et gémir les naufrages; il n'a qu'à s'en aller
dehors, sur la route, et le vent lui rabattra son foulard
sur la bouche comme un chaud baiser soudain qui le
fera pleurer. Mais pour celui qui aime le bonheur, il
y a, au bord d'un chemin boueux, la maison des Sablonnières, où mon ami Meaulnes est rentré avec
Yvonne de Galais, qui est sa femme depuis midi.

Les fiançailles ont duré cinq mois. Elles ont été paisibles, aussi paisibles que la première entrevue avait été
mouvementée. Meaulnes est venu très souvent aux Sablonnières, à bicyclette ou en voiture. Plus de deux
fois par semaine, cousant ou lisant près de la grande
fenêtre qui donne sur la lande et les sapins, Mlle de
Galais a vu tout d'un coup sa haute silhouette rapide

passer derrière le rideau, car il vient toujours par l'allée détournée qu'il a prise autrefois. Mais c'est la seule allusion — tacite — qu'il fasse au passé. Le bonheur semble avoir endormi son étrange tourment.

De petits événements ont fait date pendant ces cinq calmes mois. On m'a nommé instituteur au hameau de Saint-Benoist-des-Champs. Saint-Benoist n'est pas un village. Ce sont des fermes disséminées à travers la campagne, et la maison d'école est complètement isolée sur une côte au bord de la route. Je mène une vie bien solitaire; mais, en passant par les champs, il ne faut que trois quarts d'heure de marche pour gagner les Sablonnières.

Delouche est maintenant chez son oncle, qui est entrepreneur de maçonnerie au Vieux-Nançay. Ce sera bientôt lui le patron. Il vient souvent me voir. Meaulnes, sur la prière de Mlle de Galais, est maintenant très aimable avec lui.

Et ceci explique comment nous sommes là tous deux à rôder, vers quatre heures de l'après-midi, alors que les gens de la noce sont déjà tous repartis.

Le mariage s'est fait à midi, avec le plus de silence possible, dans l'ancienne chapelle des Sablonnières qu'on n'a pas abattue et que les sapins cachent à moitié sur le versant de la côte prochaine. Après un déjeuner rapide, la mère de Meaulnes, M. Seurel et Millie, Florentin et les autres sont remontés en voiture. Il n'est resté que Jasmin et moi...

Nous errons à la lisière des bois qui sont derrière la maison des Sablonnières, au bord du grand terrain en friche, emplacement ancien du Domaine aujourd'hui abattu. Sans vouloir l'avouer et sans savoir pourquoi, nous sommes remplis d'inquiétude. En vain nous essayons de distraire nos pensées et de tromper notre angoisse en nous montrant, au cours de notre promenade errante, les bauges des lièvres et les petits sillons de sable où les lapins ont gratté fraîchement... un collet tendu... la trace d'un braconnier... Mais sans cesse

nous revenons à ce bord du taillis, d'où l'on découvre
la maison silencieuse et fermée...

Au bas de la grande croisée qui donne sur les sapins,
il y a un balcon de bois, envahi par les herbes folles
que couche le vent. Une lueur comme d'un feu allumé
se reflète sur les carreaux de la fenêtre. De temps à
autre, une ombre passe. Tout autour, dans les champs
environnants, dans le potager, dans la seule ferme qui
reste des anciennes dépendances, silence et solitude. Les
métayers sont partis au bourg pour fêter le bonheur
de leurs maîtres.

De temps à autre, le vent chargé d'une buée qui
est presque de la pluie nous mouille la figure et nous
apporte la parole perdue d'un piano. Là-bas, dans la
maison fermée, quelqu'un joue. Je m'arrête un instant
pour écouter en silence. C'est d'abord comme une voix
tremblante qui, de très loin, ose à peine chanter sa
joie... C'est comme le rire d'une petite fille qui, dans
sa chambre, a été chercher tous ses jouets et les répand
devant son ami... Je pense aussi à la joie craintive
encore d'une femme qui a été mettre une belle robe
et qui vient la montrer et ne sait pas si elle plaira...
Cet air que je ne connais pas, c'est aussi une prière,
une supplication au bonheur de ne pas être trop cruel,
un salut et comme un agenouillement devant le
bonheur...

Je pense : « Ils sont heureux enfin. Meaulnes est
là-bas près d'elle... »

Et savoir cela, en être sûr, suffit au contentement
parfait du brave enfant que je suis.

A ce moment, tout absorbé, le visage mouillé par
le vent de la plaine comme par l'embrun de la mer,
je sens qu'on me touche l'épaule :

« Ecoute! » dit Jasmin tout bas.

Je le regarde. Il me fait signe de ne pas bouger; et,
lui-même, la tête inclinée, le sourcil froncé, il écoute...

CHAPITRE VIII

L'APPEL DE FRANTZ

« Hou-ou! »

Cette fois, j'ai entendu. C'est un signal, un appel sur deux notes, haute et basse, que j'ai déjà entendu jadis... Ah! je me souviens : c'est le cri du grand comédien lorsqu'il hélait son jeune compagnon à la grille de l'école. C'est l'appel à quoi Frantz nous avait fait jurer de nous rendre, n'importe où et n'importe quand. Mais que demande-t-il ici, aujourd'hui, celui-là ?

« Cela vient de la grande sapinière à gauche, dis-je à mi-voix. C'est un braconnier sans doute ».

Jasmin secoue la tête :

« Tu sais bien que non », dit-il.

Puis, plus bas :

« Ils sont dans le pays, tous les deux, depuis ce matin. J'ai surpris Ganache à onze heures en train de guetter dans un champ auprès de la chapelle. Il a détalé en m'apercevant. Ils sont venus de loin peut-être à bicyclette, car il était couvert de boue jusqu'au milieu du dos...

— Mais que cherchent-ils ?

— Je n'en sais rien. Mais à coup sûr il faut que nous les chassions. Il ne faut pas les laisser rôder aux alentours. Ou bien toutes les folies vont recommencer... »

Je suis de cet avis, sans l'avouer.

« Le mieux, dis-je, serait de les joindre, de voir ce qu'ils veulent et de leur faire entendre raison... »

Lentement, silencieusement, nous nous glissons donc en nous baissant à travers le taillis jusqu'à la grande sapinière, d'où part, à intervalles réguliers, ce cri prolongé qui n'est pas en soi plus triste qu'autre chose, mais qui nous semble à tous les deux de sinistre augure.

Il est difficile, dans cette partie du bois de sapins, où le regard s'enfonce entre les troncs régulièrement plantés, de surprendre quelqu'un et de s'avancer sans être vu. Nous n'essayons même pas. Je me poste à l'angle du bois. Jasmin va se placer à l'angle opposé, de façon à commander comme moi, de l'extérieur, deux des côtés du rectangle et à ne pas laisser fuir l'un des bohémiens sans le héler. Ces dispositions prises, je commence à jouer mon rôle d'éclaireur pacifique et j'appelle :

« Frantz !...

» ... Frantz ! Ne craignez rien. C'est moi, Seurel; je voudrais vous parler... »

Un instant de silence; je vais me décider à crier encore, lorsque, au cœur même de la sapinière, où mon regard n'atteint pas tout à fait, une voix commande :

« Restez où vous êtes : il va venir vous trouver ».

Peu à peu, entre les grands sapins que l'éloignement fait paraître serrés, je distingue la silhouette du jeune homme qui s'approche. Il paraît couvert de boue et mal vêtu; des épingles de bicyclette serrent le bas de son pantalon, une vieille casquette à ancre est plaquée sur ses cheveux trop longs; je vois maintenant sa figure amaigrie... Il semble avoir pleuré.

S'approchant de moi, résolument :

« Que voulez-vous ? demande-t-il d'un air très insolent.

— Et vous-même, Frantz, que faites-vous ici ? Pour-

quoi venez-vous troubler ceux qui sont heureux ?
Qu'avez-vous à demander ? Dites-le ».

Ainsi interrogé directement, il rougit un peu, balbutie, répond seulement :

« Je suis malheureux, moi, je suis malheureux ».

Puis, la tête dans le bras, appuyé à un tronc d'arbre,
il se prend à sangloter amèrement. Nous avons fait
quelques pas dans la sapinière. L'endroit est parfaitement silencieux. Pas même la voix du vent que les
grands sapins de la lisière arrêtent. Entre les troncs
réguliers se répète et s'éteint le bruit des sanglots étouffés du jeune homme. J'attends que cette
crise s'apaise et je dis, en lui mettant la main sur
l'épaule :

« Frantz, vous viendrez avec moi. Je vous mènerai
auprès d'eux. Ils vous accueilleront comme un enfant
perdu qu'on a retrouvé et toute sera fini ».

Mais il ne voulait rien entendre. D'une voix assourdie par les larmes, malheureux, entêté, colère, il reprenait :

« Ainsi Meaulnes ne s'occupe plus de moi ? Pourquoi ne répond-il pas quand je l'appelle ? Pourquoi
ne tient-il pas sa promesse ?

— Voyons, Frantz, répondis-je, le temps des fantasmagories et des enfantillages est passé. Ne troublez
pas avec des folies le bonheur de ceux que vous aimez;
de votre sœur et d'Augustin Meaulnes.

— Mais lui seul peut me sauver, vous le savez
bien. Lui seul est capable de retrouver la trace
que je cherche. Voilà bientôt trois ans que Ganache et
moi nous battons toute la France sans résultat. Je
n'avais plus confiance qu'en votre ami. Et voici qu'il
ne répond plus. Il a retrouvé son amour, lui. Pourquoi, maintenant, ne pense-t-il pas à moi ? Il faut
qu'il se mette en route. Yvonne le laissera bien partir... Elle ne m'a jamais rien refusé ».

Il me montrait un visage où, dans la poussière et
la boue, les larmes avaient tracé des sillons sales, un

visage de vieux gamin épuisé et battu. Ses yeux étaient
cernés de taches de rousseur; son menton, mal rasé;
ses cheveux trop longs traînaient sur son col sale. Les
mains dans les poches, il grelottait. Ce n'était plus ce
royal enfant en guenilles des années passées. De cœur,
sans doute, il était plus enfant que jamais : impé-
rieux, fantasque et tout de suite désespéré. Mais cet
enfantillage était pénible à supporter chez ce garçon
déjà légèrement vieilli... Naguère, il y avait en lui
tant d'orgueilleuse jeunesse que toute folie au monde
lui paraissait permise. A présent, on était d'abord
tenté de le plaindre pour n'avoir pas réussi sa vie;
puis de lui reprocher ce rôle absurde de jeune héros
romantique où je le voyais s'entêter... Et enfin je pensais malgré moi que notre beau Frantz aux belles
amours avait dû se mettre à voler pour vivre, tout
comme son compagnon Ganache... Tant d'orgueil avait
abouti à cela!

« Si je vous promets, dis-je enfin, après avoir réflé-
chi, que dans quelques jours Meaulnes se mettra en
campagne pour vous, rien que pour vous ?...

— Il réussira, n'est-ce pas ? Vous en êtes sûr ? me
demanda-t-il en claquant des dents.

— Je le pense. Tout devient possible avec lui !

— Et comment le saurai-je ? Qui me le dira ?

— Vous reviendrez ici dans un an exactement, à
cette même heure : vous trouverez la jeune fille que
vous aimez ».

Et, en disant ceci, je pensais non pas troubler les
nouveaux époux, mais m'enquérir auprès de la tante
Moinel et faire diligence moi-même pour trouver la
jeune fille.

Le bohémien me regardait dans les yeux avec une
volonté de confiance vraiment admirable. Quinze ans,
il avait encore et tout de même quinze ans ! — l'âge
que nous avions à Sainte-Agathe, le soir du balayage
des classes, quand nous fîmes tous les trois ce terrible
serment enfantin.

Le désespoir le reprit lorsqu'il fut obligé de dire :
« Eh bien, nous allons partir ».

Il regarda, certainement avec un grand serrement
de cœur, tous ces bois d'alentour qu'il allait de nouveau quitter.

« Nous serons dans trois jours, dit-il, sur les routes
d'Allemagne. Nous avons laissé nos voitures au loin.
Et depuis trente heures, nous marchions sans arrêt.
Nous pensions arriver à temps pour emmener Meaulnes
avant le mariage et chercher avec lui ma fiancée,
comme il a cherché le Domaine des Sablonnières ».

Puis, repris par sa terrible puérilité :

« Appelez votre Delouche, dit-il en s'en allant, parce
que si je le rencontrais ce serait affreux ».

Peu à peu, entre les sapins, je vis disparaître sa
silhouette grise. J'appelai Jasmin et nous allâmes reprendre notre faction. Mais presque aussitôt, nous
aperçûmes, là-bas, Augustin qui fermait les volets de
la maison et nous fûmes frappés par l'étrangeté de son
allure.

CHAPITRE IX

Plus tard, j'ai su par le menu détail tout ce qui s'était passé là-bas...

Dans le salon des Sablonnières, dès le début de l'après-midi, Meaulnes et sa femme, que j'appelle encore Mlle de Galais, sont restés complètement seuls. Tous les invités partis, le vieux M. de Galais a ouvert la porte, laissant une seconde le grand vent pénétrer dans la maison et gémir; puis il s'est dirigé vers le Vieux-Nançais et ne reviendra qu'à l'heure du dîner, pour fermer tout à clef et donner des ordres à la métairie. Aucun bruit du dehors n'arrive plus maintenant jusqu'aux jeunes gens. Il y a tout juste une branche de rosier sans feuilles qui cogne la vitre, du côté de la lande. Comme deux passagers dans un bateau à la dérive, ils sont, dans le grand vent d'hiver, deux amants enfermés avec le bonheur.

« Le feu menace de s'éteindre », dit Mlle de Galais, et elle voulut prendre une bûche dans le coffre.

Mais Meaulnes se précipita et plaça lui-même le bois dans le feu.

Puis il prit la main tendue de la jeune fille et ils restèrent là, debout, l'un devant l'autre, étouffés comme par une grande nouvelle qui ne pouvait pas se dire.

Le vent roulait avec le bruit d'une rivière débordée. De temps à autre une goutte d'eau, diagonalement, comme sur la portière d'un train, rayait la vitre.

Alors la jeune fille s'échappa. Elle ouvrit la porte du couloir et disparut avec un sourire mystérieux. Un instant, dans la demi-obscurité, Augustin resta seul... Le tic tac d'une petite pendule faisait penser à la salle à manger de Sainte-Agathe... Il songea sans doute : « C'est donc ici la maison tant cherchée; le couloir jadis plein de chuchotements et de passages étranges... »

C'est à ce moment qu'il dut entendre — Mlle de Galais me dit plus tard l'avoir entendu aussi — le premier cri de Frantz, tout près de la maison.

La jeune femme, alors, eut beau lui montrer les choses merveilleuses dont elle était chargée : ses jouets de petite fille, toutes ses photographies d'enfant : elle en cantinière, elle et Frantz sur les genoux de leur mère, qui était si jolie... puis tout ce qui restait de ses sages petites robes de jadis : « jusqu'à celle-ci que je portais, voyez, vers le temps où vous alliez bientôt me connaître, où vous arriviez, je crois, au cours de Sainte-Agathe... », Meaulnes ne voyait plus rien et n'entendait plus rien.

Un instant pourtant il parut ressaisi par la pensée de son extraordinaire, inimaginable bonheur :

« Vous êtes là — dit-il sourdement, comme si le dire seulement donnait le vertige — vous passez auprès de la table et votre main s'y pose un instant... »

Et encore :

« Ma mère, lorsqu'elle était jeune femme, penchait ainsi légèrement son buste sur sa taille pour me parler... Et quand elle se mettait au piano... »

Alors Mlle de Galais proposa de jouer avant que la nuit ne vînt. Mais il faisait sombre dans ce coin du salon et l'on fut obligé d'allumer une bougie. L'abat-jour rose, sur le visage de la jeune fille, augmentait ce rouge dont elle était marquée aux pommettes et qui était le signe d'une grande anxiété.

Là-bas, à la lisière du bois, je commençai d'entendre cette chanson tremblante que nous apportait le vent, coupée bientôt par le second cri des deux fous, qui s'étaient rapprochés de nous dans les sapins.

Longtemps Meaulnes écouta la jeune fille en regardant silencieusement par une fenêtre. Plusieurs fois il se tourna vers le doux visage plein de faiblesse et d'angoisse. Puis il s'approcha d'Yvonne et, très légèrement, il mit sa main sur son épaule. Elle sentit doucement peser auprès de son cou cette caresse à laquelle il aurait fallu savoir répondre.

« Le jour tombe, dit-il enfin. Je vais fermer les volets. Mais ne cessez pas de jouer... »

Que se passa-t-il alors dans ce cœur obscur et sauvage ? Je me le suis souvent demandé et je ne l'ai su que lorsqu'il fut trop tard. Remords ignorés ? Regrets inexplicables ? Peur de voir s'évanouir bientôt entre ses mains ce bonheur inouï qu'il tenait si serré ? Et alors tentation terrible de jeter irrémédiablement à terre, tout de suite, cette merveille qu'il avait conquise ?

Il sortit lentement, silencieusement, après avoir regardé sa jeune femme une fois encore. Nous le vîmes, de la lisière du bois, fermer d'abord avec hésitation un volet, puis regarder vaguement vers nous, en fermer un autre, et soudain s'enfuir à toutes jambes dans notre direction. Il arriva près de nous avant que nous eussions pu songer à nous dissimuler davantage. Il nous aperçut, comme il allait franchir une petite haie récemment plantée et qui formait la limite d'un pré. Il fit un écart. Je me rappelle son allure hagarde, son air de bête traquée... Il fit mine de revenir sur ses pas pour franchir la haie du côté du petit ruisseau.

Je l'appelai :

« Meaulnes!... Augustin!... »

Mais il ne tournait pas même la tête. Alors, persuadé que cela seulement pourrait le retenir :

« Frantz est là, criai-je. Arrête ! »

Il s'arrêta enfin. Haletant et sans me laisser le temps de préparer ce que je pourrais dire :

« Il est là ! dit-il. Que réclame-t-il ?

— Il est malheureux, répondis-je. Il venait te demander de l'aide, pour retrouver ce qu'il a perdu.

— Ah ! fit-il, baissant la tête. Je m'en doutais bien J'avais beau essayer d'endormir cette pensée-là... Mais où est-il ? Raconte vite ».

Je dis que Frantz venait de partir et que certainement on ne le rejoindrait plus maintenant. Ce fut pour Meaulnes une grande déception. Il hésita, fit deux ou trois pas, s'arrêta. Il paraissait au comble de l'indécision et du chagrin. Je lui racontai ce que j'avais promis en son nom au jeune homme. Je dis que je lui avais donné rendez-vous dans un an à la même place.

Augustin, si calme en général, était maintenant dans un état de nervosité et d'impatience extraordinaires :

« Ah ! pourquoi avoir fait cela ! dit-il. Mais oui, sans doute, je puis le sauver. Mais il faut que ce soit tout de suite. Il faut que je le voie, que je lui parle, qu'il me pardonne et que je répare tout... Autrement je ne peux plus me présenter là-bas... »

Et il se tourna vers la maison des Sablonnières.

« Ainsi, dis-je, pour une promesse enfantine que tu lui as faite, tu es en train de détruire ton bonheur.

— Ah ! si ce n'était que cette promesse », fit-il.

Et ainsi je connus qu'autre chose liait les deux jeunes hommes, mais sans pouvoir deviner quoi.

« En tout cas, dis-je, il n'est plus temps de courir. Ils sont maintenant en route pour l'Allemagne ».

Il allait répondre, lorsqu'une figure échevelée, hagarde, se dressa entre nous. C'était Mlle de Galais. Elle avait dû courir, car elle avait le visage baigné de sueur. Elle avait dû tomber et se blesser, car elle avait le front écorché au-dessus de l'œil droit et du sang figé dans les cheveux.

Il m'est arrivé, dans les quartiers pauvres de Paris, de voir soudain, descendu dans la rue, séparé par des agents intervenus dans la bataille, un ménage qu'on croyait heureux, uni, honnête. Le scandale a éclaté tout d'un coup, n'importe quand, à l'instant de se mettre à table, le dimanche avant de sortir, au moment de souhaiter la fête du petit garçon... et maintenant tout est oublié, saccagé. L'homme et la femme, au milieu du tumulte. ne sont plus que deux démons pitoyables et les enfants en larmes se jettent contre eux, les embrassent étroitement, les supplient de se taire et de ne plus se battre.

Mlle de Galais, quand elle arriva près de Meaulnes, me fit penser à un de ces enfants-là, à un de ces pauvres enfants affolés. Je crois que tous ses amis, tout un village, tout un monde l'eût regardée, qu'elle fût accourue tout de même, qu'elle fût tombée de la même façon, échevelée, pleurante, salie.

Mais quand elle eut compris que Meaulnes était bien là, que cette fois du moins, il ne l'abandonnerait pas, alors elle passa son bras sous le sien, puis elle ne put s'empêcher de rire au milieu de ses larmes comme un petit enfant. Ils ne dirent rien ni l'un ni l'autre. Mais, comme elle avait tiré son mouchoir, Meaulnes le lui prit doucment des mains : avec précaution et application, il essuya le sang qui tachait la chevelure de la jeune fille.

« Il faut rentrer, maintenant », dit-il.

Et je les laissai retourner tous les deux, dans le beau grand vent du soir d'hiver qui leur fouettait le visage, — lui, l'aidant de la main aux passages difficiles; elle, souriant et se hâtant — vers leur demeure pour un instant abandonnée.

CHAPITRE X

MAL rassuré, en proie à une sourde inquiétude, que l'heureux dénouement du tumulte de la veille n'avait pas suffi à dissiper, il me fallut rester enfermé dans l'école pendant toute la journée du lendemain. Sitôt après l'heure d' « étude » qui suit la classe du soir, je pris le chemin des Sablonnières. La nuit tombait quand j'arrivai dans l'allée de sapins qui menait à la maison. Tous les volets étaient déjà clos. Je craignis d'être importun, en me présentant à cette heure tardive, le lendemain d'un mariage. Je restai fort tard à rôder sur la lisière du jardin et dans les terres avoisinantes, espérant toujours voir sortir quelqu'un de la maison fermée... Mais mon espoir fut déçu. Dans la métairie voisine elle-même, rien ne bougeait. Et je dus rentrer chez moi, hanté par les imaginations les plus sombres.

Le lendemain samedi, mêmes incertitudes. Le soir, je pris en hâte ma pèlerine, mon bâton, un morceau de pain, pour manger en route, et j'arrivai, quand la nuit tombait déjà, pour trouver tout fermé aux Sablonnières, comme la veille... Un peu de lumière au premier étage; mais aucun bruit; pas un mouvement... Pourtant, de la cour de la métairie je vis cette fois la porte de la ferme ouverte, le feu allumé dans la grande cuisine et j'entendis le bruit habituel des voix et des pas à l'heure

de la soupe. Ceci me rassura sans me renseigner. Je ne
pouvais rien dire ni rien demander à ces gens. Et je
retournai guetter encore, attendre en vain, pensant toujours voir la porte s'ouvrir et surgir enfin la haute
silhouette d'Augustin.

C'est le dimanche seulement, dans l'après-midi, que
je résolus de sonner à la porte des Sablonnières. Tandis
que je grimpais les coteaux dénudés, j'entendais sonner
au loin les vêpres du dimanche d'hiver. Je me sentais
solitaire et désolé. Je ne sais quel pressentiment triste
m'envahissait. Et je ne fus qu'à demi surpris lorsque,
à mon coup de sonnette, je vis M. de Galais tout seul
paraître et me parler à voix basse : Yvonne de Galais
était alitée, avec une fièvre violente; Meaulnes avait dû
partir dès vendredi matin pour un long voyage; on ne
savait quand il reviendrait...

Et comme le vieillard, très embarrassé, très triste, ne
m'offrait pas d'entrer, je pris aussitôt congé de lui.
La porte refermée, je restai un instant sur le perron,
le cœur serré, dans un désarroi absolu, à regarder sans
savoir pourquoi une branche de glycine desséchée que
le vent balançait tristement dans un rayon de soleil.

Ainsi ce remords secret que Meaulnes portait depuis
son séjour à Paris avait fini par être le plus fort. Il
avait fallu que mon grand compagnon échappât à la
fin à son bonheur tenace...

Chaque jeudi et chaque dimanche, je vins demander
des nouvelles d'Yvonne de Galais, jusqu'au soir où,
convalescente enfin, elle me fit prier d'entrer. Je la
trouvai, assise auprès du feu, dans le salon dont la
grande fenêtre basse donnait sur la terre et les bois.
Elle n'était point pâle comme je l'avais imaginé, mais
tout enfiévrée, au contraire, avec de vives taches rouges
sous les yeux, et dans un état d'agitation extrême. Bien
qu'elle parût très faible encore, elle s'était habillée
comme pour sortir. Elle parlait peu, mais elle disait
chaque phrase avec une animation extraordinaire,
comme si elle eût voulu se persuader à elle-même que

le bonheur n'était pas évanoui encore... Je n'ai pas
gardé le souvenir de ce que nous avons dit. Je me
rappelle seulement que j'en vins à demander avec
hésitation quand Meaulnes serait de retour.

« Je ne sais pas quand il reviendra », répondit-elle
vivement.

Il y avait une supplication dans ses yeux, et je me
gardai d'en demander davantage.

Souvent, je revins la voir. Souvent je causai avec
elle auprès du feu, dans ce salon bas où la nuit venait
plus vite que partout ailleurs. Jamais elle ne parlait
d'elle-même ni de sa peine cachée. Mais elle ne se
lassait pas de me faire conter par le détail notre
existence d'écoliers de Sainte-Agathe.

Elle écoutait gravement, tendrement, avec un intérêt
quasi maternel, le récit de nos misères de grands enfants. Elle ne paraissait jamais surprise, pas même de
nos enfantillages les plus audacieux, les plus dangereux.
Cette tendresse attentive qu'elle tenait de M. de Galais,
les aventures déplorables de son frère ne l'avaient point
lassée. Le seul regret que lui inspirât le passé, c'était,
je pense, de n'avoir point encore été pour son frère
une confidente assez intime, puisque, au moment de sa
grande débâcle, il n'avait rien osé lui dire non plus
qu'à personne et s'était jugé perdu sans recours. Et
c'était là, quand j'y songe, une lourde tâche qu'avait
assumée la jeune femme — tâche périlleuse, de secon-
der un esprit follement chimérique comme son frère;
tâche écrasante, quand il s'agissait de lier partie avec
ce cœur aventureux qu'était mon ami le grand
Meaulnes.

De cette foi qu'elle gardait dans les rêves enfantins
de son frère, de ce soin qu'elle apportait à lui conserver
au moins des bribes de ce rêve dans lequel il avait
vécu jusqu'à vingt ans, elle me donna un jour la preuve
la plus touchante et je dirai presque la plus mystérieuse.

Ce fut par une soirée d'avril désolée comme une fin
d'automne. Depuis près d'un mois nous vivions dans un
doux printemps prématuré, et la jeune femme avait
repris en compagnie de M. de Galais les longues promenades qu'elle aimait. Mais ce jour-là, le vieillard se
trouvant fatigué et moi-même libre, elle me demanda
de l'accompagner malgré le temps menaçant. A plus
d'une demi-lieue des Sablonnières, en longeant l'étang,
l'orage, la pluie, la grêle nous surprirent. Sous le hangar
où nous nous étions abrités contre l'averse interminable,
le vent nous glaçait, debout l'un près de l'autre, pensifs,
devant le paysage noirci. Je la revois, dans sa douce
robe sévère, toute pâlie, toute tourmentée.

« Il faut rentrer, disait-elle. Nous sommes partis depuis si longtemps. Qu'a-t-il pu se passer ? »

Mais, à mon étonnement, lorsqu'il nous fut possible
enfin de quitter notre abri, la jeune femme, au lieu de
revenir vers les Sablonnières, continua son chemin et
me demanda de la suivre. Nous arrivâmes, après avoir
longtemps marché, devant une maison que je ne connaissais pas, isolée au bord d'un chemin défoncé qui
devait aller vers Préveranges. C'était une petite maison
bourgeoise, couverte en ardoise, et que rien ne distinguait du type usuel dans ce pays, sinon son éloignement
et son isolement.

A voir Yvonne de Galais, on eût dit que cette maison
nous appartenait et que nous l'avions abandonnée durant un long voyage. Elle ouvrit, en se penchant, une
petite grille, et se hâta d'inspecter avec inquiétude le
lieu solitaire. Une grande cour herbeuse, où des enfants avaient dû venir jouer pendant les longues et
lentes soirées de la fin de l'hiver, était ravinée par
l'orage. Un cerceau trempait dans une flaque d'eau.
Dans les jardinets où les enfants avaient semé des
fleurs et des pois, la grande pluie n'avait laissé que des
traînées de gravier blanc. Et enfin nous découvrîmes,
blottie contre le seuil d'une des portes mouillées, toute
une couvée de poussins transpercée par l'averse. Presque

tous étaient morts sous les ailes raidies et les plumes fripées de la mère.

A ce spectacle pitoyable, la jeune femme eut un cri étouffé. Elle se pencha et, sans souci de l'eau ni de la boue, triant les poussins vivants d'entre les morts, elle les mit dans un pan de son manteau. Puis nous entrâmes dans la maison dont elle avait la clef. Quatre portes ouvraient sur un étroit couloir où le vent s'engouffra en sifflant. Yvonne de Galais ouvrit la première à notre droite et me fit pénétrer dans une chambre sombre, où je distinguai, après un moment d'hésitation, une grande glace et un petit lit recouvert, à la mode campagnarde, d'un édredon de soie rouge. Quant à elle, après avoir cherché un instant dans le reste de l'appartement, elle revint, portant la couvée malade dans une corbeille garnie de duvet, qu'elle glissa précieusement sous l'édredon. Et, tandis qu'un rayon de soleil languissant, le premier et le dernier de la journée, faisait plus pâles nos visages et plus obscure la tombée de la nuit, nous étions là, debout, glacés et tourmentés, dans la maison étrange !

D'instant en instant, elle allait regarder dans le nid fiévreux, enlever un nouveau poussin mort pour l'empêcher de faire mourir les autres. Et chaque fois il nous semblait que quelque chose comme un grand vent par les carreaux cassés du grenier, comme un chagrin mystérieux d'enfants inconnus, se lamentait silencieusement.

« C'était ici, me dit enfin ma compagne, la maison de Frantz quand il était petit. Il avait voulu une maison pour lui tout seul, loin de tout le monde, dans laquelle il pût aller jouer, s'amuser et vivre quand cela lui plairait. Mon père avait trouvé cette fantaisie si extraordinaire, si drôle, qu'il n'avait pas refusé. Et quand cela lui plaisait, un jeudi, un dimanche, n'importe quand, Frantz partait habiter dans sa maison comme un homme. Les enfants des fermes d'alentour venaient jouer avec lui, l'aider à faire son ménage,

travailler dans le jardin. C'était un jeu merveilleux !
Et le soir venu, il n'avait pas peur de coucher tout
seul. Quant à nous, nous l'admirions tellement que
nous ne pensions pas même à être inquiets.

» Maintenant et depuis longtemps, poursuivit-elle
avec un soupir, la maison est vide. Monsieur de Galais,
frappé par l'âge et le chagrin, n'a jamais rien fait pour
retrouver ni rappeler mon frère. Et que pourrait-il
tenter ?

» Moi je passe ici bien souvent. Les petites paysans
des environs viennent jouer dans la cour comme autrefois. Et je me plais à imaginer que ce sont les anciens
amis de Frantz; que lui-même est encore un enfant
et qu'il va revenir bientôt avec la fiancée qu'il s'était
choisie.

» Ces enfants-là me connaissent bien. Je joue avec
eux. Cette couvée de petits poulets était à nous... »

Tout ce grand chagrin dont elle n'avait jamais rien
dit, ce grand regret d'avoir perdu son frère si fou, si
charmant et si admiré, il avait fallu cette averse et
cette débâcle enfantine pour qu'elle me les confiât. Et
je l'écoutais sans rien répondre, le cœur tout gonflé de
sanglots...

Les portes et la grille refermées, les poussins remis
dans la cabane en planches qu'il y avait derrière la
maison, elle reprit tristement mon bras et je la re-
conduisis.

Des semaines, des mois passèrent. Epoque passée !
Bonheur perdu ! De celle qui avait été la fée, la prin-
cesse et l'amour mystérieux de toute notre adolescence,
c'est à moi qu'il était échu de prendre le bras et de
dire ce qu'il fallait pour adoucir son chagrin, tandis
que mon compagnon avait fui. De cette époque, de ces
conversations, le soir, après la classe que je faisais sur
la côte de Saint-Benoist-des-Champs, de ces promenades où la seule chose dont il eût fallu parler était
la seule sur laquelle nous étions décidés à nous taire,

que pourrais-je dire à présent? Je n'ai pas gardé d'autre souvenir que celui, à demi effacé déjà, d'un beau visage amaigri, de deux yeux dont les paupières s'abaissent lentement tandis qu'ils me regardent, comme pour déjà ne plus voir qu'un monde intérieur.

Et je suis demeuré son compagnon fidèle — compagnon d'une attente dont nous ne parlions pas — durant tout un printemps et tout un été comme il n'y en aura jamais plus. Plusieurs fois, nous retournâmes, l'après-midi, à la maison de Frantz. Elle ouvrait les portes pour donner de l'air, pour que rien ne fût moisi quand le jeune ménage reviendrait. Elle s'occupait de la volaille à demi sauvage qui gîtait dans la basse-cour. Et le jeudi ou le dimanche, nous encouragions les jeux des petits campagnards d'alentour, dont les cris et les rires, dans le site solitaire, faisaient paraître plus déserte et plus vide encore la petite maison abandonnée.

CHAPITRE XI

CONVERSATION SOUS LA PLUIE

Le mois d'août, époque des vacances, m'éloigna des Sablonnières et de la jeune femme. Je dus aller passer à Sainte-Agathe mes deux mois de congé. Je revis la grande cour sèche, le préau, la classe vide... Tout parlait du grand Meaulnes. Tout était rempli des souvenirs de notre adolescence déjà finie. Pendant ces longues journées jaunies, je m'enfermais comme jadis, avant la venue de Meaulnes, dans le cabinet des archives, dans les classes désertes. Je lisais, j'écrivais, je me souvenais... Mon père était à la pêche au loin. Millie dans le salon cousait ou jouait du piano comme jadis... Et dans le silence absolu de la classe, où les couronnes de papier vert déchirées, les enveloppes des livres de prix, les tableaux épongés, tout disait que l'année était finie, les récompenses distribuées, tout attendait l'automne, la rentrée d'octobre et le nouvel effort — je pensais de même que notre jeunesse était finie et le bonheur manqué; moi aussi j'attendais la rentrée aux Sablonnières et le retour d'Augustin qui peut-être ne reviendrait jamais...

Il y avait cependant une nouvelle heureuse que j'annonçai à Millie, lorsqu'elle se décida à m'interroger sur la nouvelle mariée. Je redoutais ses questions, sa façon à la fois très innocente et très maligne de vous plonger soudain dans l'embarras en mettant le doigt sur votre pensée la plus secrète. Je coupai court à tout, en annonçant que la jeune femme de mon ami Meaulnes serait mère au mois d'octobre.

A part moi, je me rappelai le jour où Yvonne de Galais m'avait fait comprendre cette grande nouvelle. Il y avait eu un silence; de ma part, un léger embarras de jeune homme. Et j'avais dit tout de suite, inconsidérément, pour le dissiper — songeant trop tard à tout le drame que je remuais ainsi :

« Vous devez être bien heureuse ? »

Mais elle, sans arrière-pensée, sans regret, ni remords, ni rancune, elle avait répondu avec un beau sourire de bonheur :

« Oui, bien heureuse ».

Durant cette dernière semaine des vacances, qui est en général la plus belle et la plus romantique, semaine de grandes pluies, semaine où l'on commence à allumer les feux, et que je passais d'ordinaire à chasser dans les sapins noirs et mouillés du Vieux-Nançay, je fis mes préparatifs pour rentrer directement à Saint-Benoist-des-Champs. Firmin, ma tante Julie et mes cousines du Vieux-Nançay m'eussent posé trop de questions auxquelles je ne voulais pas répondre. Je renonçai pour cette fois à mener durant huit jours la vie enivrante de chasseur campagnard et je regagnai ma maison d'école quatre jours avant la rentrée des classes.

J'arrivai avant la nuit dans la cour déjà tapissée de feuilles jaunies. Le voiturier parti, je déballai tristement dans la salle à manger sonore et « renfermée » le paquet de provisions que m'avait fait maman... Après un léger repas du bout des dents, impatient, anxieux, je mis ma pèlerine et partis pour une fiévreuse promenade qui me mena tout droit aux abords des Sablonnières.

Je ne voulus pas m'y introduire en intrus dès le premier soir de mon arrivée. Cependant, plus hardi qu'en février, après avoir tourné tout autour du Domaine où brillait seule la fenêtre de la jeune femme, je

franchis, derrière la maison, la clôture du jardin et
m'assis sur un banc, contre la haie, dans l'ombre com-
mençante. heureux simplement d'être là, tout près de
ce qui me passionnait et m'inquiétait le plus au monde.

La nuit venait. Une pluie fine commençait à tomber.
La tête basse, je regardais, sans y songer, mes souliers
se mouiller peu à peu et luire d'eau. L'ombre m'entourait lentement et la fraîcheur me gagnait sans troubler ma rêverie. Tendrement, tristement, je rêvais aux
chemins boueux de Sainte-Agathe, par ce même soir
de septembre; j'imaginais la place pleine de brume, le
garçon boucher qui siffle en allant à la pompe, le café
illuminé, la joyeuse voiturée avec sa carapace de para-
pluies ouverts qui arrivait avant la fin des vacances,
chez l'oncle Florentin... Et je me disais tristement :
« Qu'importe tout ce bonheur, puisque Meaulnes,
mon compagnon, ne peut pas y être, ni sa jeune
femme... »

C'est alors que, levant la tête, je la vis à deux pas de
moi. Ses souliers, dans le sable, faisaient un bruit léger
que j'avais confondu avec celui des gouttes d'eau de
la haie. Elle avait sur la tête et les épaules un grand
fichu de laine noire, et la pluie fine poudrait sur son
front ses cheveux. Sans doute. de sa chambre, m'avait-
elle aperçu par la fenêtre qui donnait sur le jardin.
Et elle venait vers moi. Ainsi ma mère, autrefois, s'inquiétait et me cherchait pour me dire : « Il faut
rentrer », mais ayant pris goût à cette promenade sous
la pluie et dans la nuit, elle disait seulement avec
douceur : « Tu vas prendre froid ! » et restait en ma
compagnie à causer longuement...

Yvonne de Galais me tendit une main brûlante, et,
renonçant à me faire entrer aux Sablonnières, elle s'assit
sur le banc moussu et vert-de-grisé, du côté le moins
mouillé, tandis que debout. appuyé du genou à ce
même banc, je me penchais vers elle pour l'entendre.

Elle me gronda d'abord amicalement pour avoir ainsi
écourté mes vacances :

« Il fallait bien, répondis-je, que je vinsse au plus tôt pour vous tenir compagnie.

— Il est vrai, dit-elle presque tout bas avec un soupir, je suis seule encore. Augustin n'est pas revenu... »

Prenant ce soupir pour un regret, un reproche étouffé, je commençais à dire lentement :

« Tant de folies dans une si noble tête ! Peut-être le goût des aventures plus fort que tout... »

Mais la jeune femme m'interrompit. Et ce fut en ce lieu, ce soir-là, que pour la première et la dernière fois, elle me parla de Meaulnes.

« Ne parlez pas ainsi, dit-elle doucement, François Seurel, mon ami. Il n'y a que nous — il n'y a que moi de coupable. Songez à ce que nous avons fait...

» Nous lui avons dit : « Voici le bonheur, voici ce que tu as cherché pendant toute ta jeunesse, voici la jeune fille qui était à la fin de tous tes rêves! »

» Comment celui que nous poussions ainsi par les épaules n'aurait-il pas été saisi d'hésitation, puis de crainte, puis d'épouvante, et n'aurait-il pas cédé à la tentation de s'enfuir ?

— Yvonne, dis-je tout bas, vous saviez bien que vous étiez ce bonheur-là, cette jeune fille-là.

— Ah! soupira-t-elle. Comment ai-je pu un instant avoir cette pensée orgueilleuse. C'est cette pensée-là qui est cause de tout.

» Je vous disais : « Peut-être que je ne puis rien faire pour lui ». Et au fond de moi, je pensais : Puisqu'il m'a tant cherchée et puisque je l'aime il faudra bien que je fasse son bonheur ». Mais quand je l'ai vu près de moi, avec toute sa fièvre, son inquiétude, son remords mystérieux, j'ai compris que je n'étais qu'une pauvre femme comme les autres...

» — Je ne suis pas digne de vous », répétait-il, quand ce fut le petit jour et la fin de la nuit de nos noces.

» Et j'essayais de le consoler, de le rassurer. Rien ne calmait son angoisse. Alors j'ai dit : « S'il faut que vous partiez, si je suis venue vers vous au moment

où rien ne pouvait vous rendre heureux, s'il faut que
vous m'abandonniez un temps pour ensuite revenir
apaisé près de moi, c'est moi qui vous demande de
partir... »

Dans l'ombre je vis qu'elle avait levé les yeux sur
moi. C'était comme une confession qu'elle m'avait faite,
et elle attendait, anxieusement, que je l'approuve ou
la condamne. Mais que pouvais-je dire ? Certes, au fond
de moi, je revoyais le grand Meaulnes de jadis, gauche
et sauvage, qui se faisait toujours punir plutôt que de
s'excuser ou de demander une permission qu'on lui eût
certainement accordée. Sans doute aurait-il fallu
qu'Yvonne de Galais lui fît violence, et lui prenant la
tête entre ses mains, lui dît : « Qu'importe ce que vous
avez fait; je vous aime; tous les hommes ne sont-ils pas
des pécheurs ? » Sans doute avait-elle eu grand tort, par
générosité, par esprit de sacrifice, de le rejeter ainsi
sur la route des aventures... Mais comment aurais-je pu
désapprouver tant de bonté, tant d'amour !...

Il y eut un long moment de silence, pendant lequel,
troublés jusques au fond du cœur, nous entendions la
pluie froide dégoutter dans les haies et sous les branches
des arbres.

« Il est donc parti au matin, poursuivit-elle. Plus
rien ne nous séparait désormais. Et il m'a embrassée,
simplement, comme un mari qui laisse sa jeune femme,
avant un long voyage... »

Elle se levait. Je pris dans la mienne sa main fiévreuse, puis son bras, et nous remontâmes l'allée dans
l'obscurité profonde.

« Pourtant il ne vous a jamais écrit ? demandai-je
— Jamais », répondit-elle.

Et alors, la pensée nous venant à tous deux de la
vie aventureuse qu'il menait à cette heure sur les
routes de France ou d'Allemagne, nous commençâmes
à parler de lui comme nous ne l'avions jamais fait.
Détails oubliés, impressions anciennes nous revenaient
en mémoire, tandis que lentement nous regagnions la

maison, faisant à chaque pas de longues stations pour mieux échanger nos souvenirs... Longtemps — jusqu'aux barrières du jardin — dans l'ombre, j'entendis la précieuse voix basse de la jeune femme; et moi, repris par mon vieil enthousiasme, je lui parlais sans me lasser, avec une amitié profonde, de celui qui nous avait abandonnés...

CHAPITRE XII

LE FARDEAU

La classe devait commencer le lundi. Le samedi soir, vers cinq heures, une femme du Domaine entra dans la cour de l'école où j'étais occupé à scier du bois pour l'hiver. Elle venait m'annoncer qu'une petite fille était née aux Sablonnières. L'accouchement avait été difficile. A neuf heures du soir il avait fallu demander la sage-femme de Préveranges. A minuit, on avait attelé de nouveau pour aller chercher le médecin de Vierzon. Il avait dû appliquer les fers. La petite fille avait la tête blessée et criait beaucoup mais elle paraissait bien en vie. Yvonne de Galais était maintenant très affaissée, mais elle avait souffert et résisté avec une vaillance extraordinaire.

Je laissai là mon travail, courus revêtir un autre paletot, et content, en somme, de ces nouvelles, je suivis la bonne femme jusqu'aux Sablonnières. Avec précaution, de crainte que l'une des deux blessées ne fût endormie, je montai par l'étroit escalier de bois qui menait au premier étage. Et là, M. de Galais, le visage fatigué mais heureux, me fit entrer dans la chambre où l'on avait provisoirement installé le berceau entouré de rideaux.

Je n'étais jamais entré dans une maison où fût né

le jour même un petit enfant. Que cela me paraissait bizarre et mystérieux et bon ! Il faisait un soir si beau — un véritable soir d'été — que M. de Galais n'avait pas craint d'ouvrir la fenêtre qui donnait sur la cour. Accoudé près de moi sur l'appui de la croisée, il me racontait, avec épuisement et bonheur, le drame de la nuit ; et moi qui l'écoutais, je sentais obscurément que quelqu'un d'étranger était maintenant avec nous dans la chambre...

Sous les rideaux, cela se mit à crier, un petit cri aigre et prolongé... Alors M. de Galais me dit à demi-voix :

« C'est cette blessure à la tête qui la fait crier ».

Machinalement — on sentait qu'il faisait cela depuis le matin et que déjà il en avait pris l'habitude — il se mit à bercer le petit paquet de rideaux.

« Elle a ri déjà, dit-il, et elle prend le doigt. Mais vous ne l'avez pas vue ? »

Il ouvrit les rideaux et je vis une rouge petite figure bouffie, un petit crâne allongé et déformé par les fers :

« Ce n'est rien, dit M. de Galais, le médecin a dit que tout cela s'arrangerait de soi-même... Donnez-lui votre doigt, elle va le serrer ».

Je découvrais là comme un monde ignoré. Je me sentais le cœur gonflé d'une joie étrange que je ne connaissais pas auparavant...

M. de Galais entr'ouvrit avec précaution la porte de la chambre de la jeune femme. Elle ne dormait pas.

« Vous pouvez entrer », dit-il.

Elle était étendue, le visage enfiévré, au milieu de ses cheveux blonds épars. Elle me tendit la main en souriant d'un air las. Je lui fis compliment de sa fille. D'une voix un peu rauque, et avec une rudesse inaccoutumée — la rudesse de quelqu'un qui revient du combat :

« Oui, mais on me l'a abîmée », dit-elle en souriant.

Il fallut bientôt partir pour ne pas la fatiguer.

Le lendemain dimanche, dans l'après-midi, je me rendis avec une hâte presque joyeuse aux Sablonnières. A la porte, un écriteau fixé avec des épingles arrêta le geste que je faisais déjà :

Prière de ne pas sonner

Je ne devinai pas de quoi il s'agissait. Je frappai assez fort. J'entendis dans l'intérieur des pas étouffés qui accouraient. Quelqu'un que je ne connaissais pas — et qui était le médecin de Vierzon — m'ouvrit :

« Eh bien, qu'y a-t-il? fis-je vivement.

— Chut! chut! — me répondit-il tout bas, l'air fâché. La petite fille a failli mourir cette nuit. Et la mère est très mal ».

Complètement déconcerté, je le suivis sur la pointe des pieds jusqu'au premier étage. La petite fille endormie dans son berceau était toute pâle, toute blanche, comme un petit enfant mort. Le médecin pensait la sauver. Quant à la mère, il n'affirmait rien... Il me donna de longues explications comme au seul ami de la famille. Il parla de congestion pulmonaire, d'embolie. Il hésitait, il n'était pas sûr... M. de Galais entra, affreusement vieilli en deux jours, hagard et tremblant.

Il m'emmena dans la chambre sans trop savoir ce qu'il faisait :

« Il faut, me dit-il, tout bas, qu'elle ne soit pas effrayée; il faut, a ordonné le médecin, lui persuader que cela va bien ».

Tout le sang à la figure, Yvonne de Galais était étendue, la tête renversée comme la veille. Les joues et le front rouge sombre, les yeux par instants révulsés, comme quelqu'un qui étouffe, elle se défendait contre la mort avec un courage et une douceur indicibles.

Elle ne pouvait parler, mais elle me tendit sa main en feu, avec tant d'amitié que je faillis éclater en sanglots.

« Eh bien, eh bien, dit M. de Galais très fort, avec

un enjouement affreux, qui semblait de folie, vous voyez que pour une malade elle n'a pas trop mauvaise mine ! »

Et je ne savais que répondre, mais je gardais dans la mienne la main horriblement chaude de la jeune femme mourante...

Elle voulut faire un effort pour me dire quelque chose, me demander je ne sais quoi; elle tourna les yeux vers moi, puis vers la fenêtre, comme pour me faire signe d'aller dehors chercher Quelqu'un... Mais alors une affreuse crise d'étouffement la saisit; ses beaux yeux bleus qui, un instant, m'avaient appelé si tragiquement, se révulsèrent; ses joues et son front noircirent, et elle se débattit doucement, cherchant à contenir jusqu'à la fin son épouvante et son désespoir. On se précipita — le médecin et les femmes — avec un ballon d'oxygène, des serviettes, des flacons; tandis que le vieillard penché sur elle criait — criait comme si déjà elle eût été loin de lui, de sa voix rude et tremblante :

« N'aie pas peur, Yvonne. Ce ne sera rien. Tu n'as pas besoin d'avoir peur ! »

Puis la crise s'apaisa. Elle put souffler un peu, mais elle continua à suffoquer à demi, les yeux blancs, la tête renversée, luttant toujours, mais incapable, fût-ce un instant, pour me regarder et me parler, de sortir du gouffre où elle était déjà plongée.

... Et comme je n'étais utile à rien, je dus me décider à partir. Sans doute, j'aurais pu rester un instant encore; et à cette pensée je me sens étreint par un affreux regret. Mais quoi ? J'espérais encore. Je me persuadais que tout n'était pas si proche.

En arrivant à la lisière des sapins, derrière la maison, songeant au regard de la jeune femme tourné vers la fenêtre, j'examinai avec l'attention d'une sentinelle ou d'un chasseur d'hommes la profondeur de ce bois par où Augustin était venu jadis et par où il avait fui l'hiver précédent. Hélas ! Rien de bougea. Pas une ombre suspecte; pas une branche qui remue. Mais, à la longue, là-bas, vers l'allée qui venait de Préveranges, j'entendis le son très fin d'une clochette; bientôt parut au détour du sentier un enfant avec une calotte rouge et une blouse d'écolier que suivait un prêtre... Et je partis, dévorant mes larmes.

Le lendemain était le jour de la rentrée des classes. A sept heures, il y avait déjà deux ou trois gamins dans la cour. J'hésitai longuement à descendre, à me montrer. Et lorsque je parus enfin, tournant la clef de la classe moisie, qui était fermée depuis deux mois, ce que je redoutais le plus au monde arriva : je vis le plus grand des écoliers se détacher du groupe qui jouait sous le préau et s'approcher de moi. Il venait me dire que « la jeune dame des Sablonnières était morte hier à la tombée de la nuit ».

Tout se mêle pour moi, tout se confond dans cette douleur. Il me semble maintenant que jamais plus je n'aurai le courage de recommencer la classe. Rien que traverser la cour aride de l'école c'est une fatigue qui va me briser les genoux. Tout est pénible, tout est amer puisqu'elle est morte. Le monde est vide, les vacances sont finies. Finies, les longues courses perdues en voiture; finie, la fête mystérieuse... Tout redevient la peine que c'était.

J'ai dit aux enfants qu'il n'y aurait pas de classe ce matin. Ils s'en vont, par petits groupes, porter cette nouvelle aux autres à travers la campagne. Quant à moi, je prends mon chapeau noir, une jaquette bordée que j'ai, et je m'en vais misérablement vers les Sablonnières...

... Me voici devant la maison que nous avions tant cherchée il y a trois ans ! C'est dans cette maison qu'Yvonne de Galais, la femme d'Augustin Meaulnes, est morte hier soir. Un étranger la prendrait pour une chapelle, tant il s'est fait de silence depuis hier dans ce lieu désolé.

Voilà donc ce que nous réservait ce beau matin de rentrée. ce perfide soleil d'automne qui glisse sous les branches. Comment lutterais-je contre cette affreuse révolte, cette suffocante montée de larmes ! Nous avions retrouvé la belle jeune fille. Nous l'avions conquise. Elle était la femme de mon compagnon et moi je l'aimais de cette amitié profonde et secrète qui ne se dit jamais. Je la regardais et j'étais content, comme un petit enfant. J'aurais un jour peut-être épousé une autre jeune fille, et c'est à elle la première que j'aurais confié la grande nouvelle secrète...

Près de la sonnette, au coin de la porte, on a laissé l'écriteau d'hier. On a déjà apporté le cercueil dans le vestibule, en bas. Dans la chambre du premier, c'est la nourrice de l'enfant qui m'accueille, qui me raconte la fin et qui entr'ouvre doucement la porte... La voici. Plus de fièvre ni de combats. Plus de rougeur, ni d'attente... Rien que le silence, et, entouré d'ouate, un dur visage insensible et blanc, un front mort d'où sortent les cheveux drus et durs.

M. de Galais, accroupi dans un coin, nous tournant le dos, est en chaussettes, sans souliers, et il fouille avec une terrible obstination dans des tiroirs en désordre, arrachés d'une armoire. Il en sort de temps à autre, avec une crise de sanglots qui lui secoue les épaules comme une crise de rire, une photographie ancienne. déjà jaunie. de sa fille.

L'enterrement est pour midi. Le médecin craint la décomposition rapide, qui suit parfois les embolies. C'est pourquoi le visage, comme tout le corps d'ailleurs, est entouré d'ouate imbibée de phénol.

L'habillage terminé — on lui a mis son admirable robe de velours bleu sombre, semée par endroits de petites étoiles d'argent, mais il a fallu aplatir et friper les belles manches à gigot maintenant démodées — au moment de faire monter le cercueil, on s'est aperçu qu'il ne pourrait pas tourner dans le couloir trop étroit. Il faudrait avec une corde le hisser du dehors par

la fenêtre et de la même façon le faire descendre ensuite... Mais M. de Galais, toujours penché sur de
vieilles choses parmi lesquelles il cherche on ne sait
quels souvenirs perdus, intervient alors avec une véhé-
mence terrible.

« Plutôt, dit-il d'une voix coupée par les larmes et
la colère, plutôt que de laisser faire une chose aussi
affreuse, c'est moi qui la prendrai et la descendrai dans
mes bras... »

Et il ferait ainsi, au risque de tomber en faiblesse, à
mi-chemin, et de s'écrouler avec elle !

Mais alors je m'avance, je prends le seul parti possible : avec l'aide du médecin et d'une femme, passant
un bras sous le dos de la morte étendue, l'autre sous
ses jambes, je la charge contre ma poitrine. Assise sur
mon bras gauche, les épaules appuyées contre mon
bras droit, sa tête retombante retournée sous mon menton, elle pèse terriblement sur mon cœur. Je descends
lentement, marche par marche, le long escalier raide,
tandis qu'en bas on apprête tout.

J'ai bientôt les deux bras cassés par la fatigue. A
chaque marche, avec ce poids sur la poitrine, je suis
un peu plus essoufflé. Agrippé au corps inerte et pesant,
je baisse la tête sur la tête de celle que j'emporte, je
respire fortement et ses cheveux blonds aspirés m'en-
trent dans la bouche — des cheveux morts qui ont un
goût de terre. Ce goût de terre et de mort, ce poids
sur le cœur, c'est tout ce qui reste pour moi de la
grande aventure, et de vous, Yvonne de Galais, jeune
femme tant cherchée — tant aimée...

CHAPITRE XIII

LE CAHIER DE DEVOIRS MENSUELS

Dans la maison pleine de tristes souvenirs, où des femmes, tout le jour, berçaient et consolaient un tout petit enfant malade, le vieux M. de Galais ne tarda pas à s'aliter. Aux premiers grands froids de l'hiver il s'éteignit paisiblement et je ne pus me tenir de verser des larmes au chevet de ce vieil homme charmant, dont la pensée indulgente et la fantaisie alliée à celle de son fils avaient été la cause de toute notre aventure. Il mourut, fort heureusement, dans une incompréhension complète de tout ce qui s'était passé et, d'ailleurs, dans un silence presque absolu. Comme il n'avait plus depuis longtemps ni parents ni amis dans cette région de la France, il m'institua par testament son légataire universel jusqu'au retour de Meaulnes, à qui je devais rendre compte de tout, s'il revenait jamais... Et c'est aux Sablonnières désormais que j'habitai. Je n'allais plus à Saint-Benoist que pour y faire la classe, partant le matin de bonne heure, déjeunant à midi d'un repas préparé au Domaine, que je faisais chauffer sur le poêle, et rentrant le soir aussitôt après l'étude. Ainsi je pus garder près de moi l'enfant que les servantes de la ferme soignaient. Surtout j'augmentais mes chances de rencontrer Augustin, s'il rentrait un jour aux Sablonnières.

Je ne désespérais pas, d'ailleurs, de découvrir à la longue dans les meubles, dans les tiroirs de la maison, quelque papier, quelque indice qui me permît de connaître l'emploi de son temps, durant le long silence des années précédentes — et peut-être ainsi de saisir les raisons de sa fuite ou tout au moins de retrouver sa trace... J'avais déjà vainement inspecté je ne sais combien de placards et d'armoires, ouvert, dans les cabinets de débarras, une quantité d'anciens cartons de toutes formes, qui se trouvaient tantôt remplis de liasses de vieilles lettres et de photographies jaunies de la famille de Galais, tantôt bondés de fleurs artificielles, de plumes, d'aigrettes et d'oiseaux démodés. Il s'échappait de ces boîtes je ne sais quelle odeur fanée, quel parfum éteint, qui, soudain, réveillaient en moi pour tout un jour les souvenirs, les regrets, et arrêtaient mes recherches...

Un jour de congé, enfin, j'avisai au grenier une vieille petite malle longue et basse, couverte de poils de porc à demi rongés, et que je reconnus pour être la malle d'écolier d'Augustin. Je me reprochai de n'avoir point commencé par là mes recherches. J'en fis sauter facilement la serrure rouillée. La malle était pleine jusqu'au bord des cahiers et des livres de Sainte-Agathe. Arithmétiques, littératures, cahiers de problèmes, que sais-je?... Avec attendrissement plutôt que par curiosité, je me mis à fouiller dans tout cela, relisant les dictées que je savais encore par cœur, tant de fois nous les avions recopiées! « L'Aqueduc » de Rousseau, « Une aventure en Calabre » de P.-L. Courier, « Lettre de George Sand à son fils »...

Il y avait aussi un « Cahier de Devoirs Mensuels ». J'en fus surpris, car ces cahiers restaient au Cours et les élèves ne les emportaient jamais au dehors. C'était un cahier vert tout jauni sur les bords. Le nom de l'élève, *Augustin Meaulnes*, était écrit sur la couverture en ronde magnifique. Je l'ouvris. A la date des devoirs, avril 189..., je reconnus que Meaulnes l'avait commencé peu de jours avant de quitter Sainte-Agathe. Les premières pages étaient tenues avec le soin religieux qui était de règle lorsqu'on travaillait sur ce cahier de compositions. Mais il n'y avait pas plus de trois pages écrites, le reste était blanc et voilà pourquoi Meaulnes l'avait emporté.

Tout en réfléchissant, agenouillé par terre, à ces coutumes, à ces règles puériles qui avaient tenu tant de place dans notre adolescence, je faisais tourner sous mon pouce le bord des pages du cahier inachevé. Et c'est ainsi que je découvris de l'écriture sur d'autres feuillets. Après quatre pages laissées en blanc on avait recommencé à écrire.

C'était encore l'écriture de Meaulnes, mais rapide, mal formée, à peine lisible; de petits paragraphes de largeurs inégales, séparés par des lignes blanches. Parfois ce n'était qu'une phrase inachevée. Quelquefois une date. Dès la première ligne, je jugeai qu'il pouvait y avoir là des renseignements sur la vie passée de Meaulnes à Paris, des indices sur la piste que je cherchais, et je descendis dans la salle à manger, pour parcourir à loisir, à la lumière du jour, l'étrange document. Il faisait un jour d'hiver clair et agité. Tantôt le soleil vif dessinait les croix des carreaux sur les rideaux blancs de la fenêtre, tantôt un vent brusque jetait aux vitres une averse glacée. Et c'est devant cette fenêtre, auprès du feu, que je lus ces lignes qui m'expliquèrent tant de choses et dont voici la copie très exacte...

CHAPITRE XIV

LE SECRET

Je suis passé une fois encore sous la fenêtre. La vitre est toujours poussiéreuse et blanchie par le double rideau qui est derrière. Yvonne de Galais l'ouvrirait-elle que je n'aurais rien à lui dire puisqu'elle est mariée... Que faire, maintenant ? Comment vivre ?...

Samedi 13 février. — J'ai rencontré, sur le quai, cette jeune fille qui m'avait renseigné au mois de juin, qui attendait comme moi devant la maison fermée... Je lui ai parlé. Tandis qu'elle marchait, je regardais de côté les légers défauts de son visage : une petite ride au coin des lèvres, un peu d'affaissement aux joues, et de la poudre accumulée aux ailes du nez. Elle s'est retournée tout d'un coup et me regardant bien en face, peut-être parce qu'elle est plus belle de face que de profil, elle m'a dit d'une voix brève :

« Vous m'amusez beaucoup. Vous me rappelez un jeune homme qui me faisait la cour, autrefois à Bourges. Il était même mon fiancé... »

Cependant, à la nuit pleine, sur le trottoir désert et mouillé qui reflète la lueur d'un bec de gaz, elle s'est approchée de moi tout d'un coup, pour me demander de l'emmener ce soir au théâtre avec sa sœur. Je remarque pour la première fois qu'elle est habillée de deuil, avec un chapeau de dame trop vieux pour sa jeune figure, un haut parapluie fin, pareil à une canne. Et comme je suis tout près d'elle, quand je fais un geste mes ongles griffent le crêpe de son corsage... Je fais des difficultés pour accorder ce qu'elle demande. Fâchée, elle veut partir tout de suite. Et c'est moi, maintenant, qui la retiens et la prie. Alors un ouvrier qui passe dans l'obscurité plaisante à mi-voix :

« N'y va pas, ma petite, il te ferait mal! »

Et nous sommes restés, tous les deux, interdits.

Au théâtre. — Les deux jeunes filles, mon amie qui s'appelle Valentine Blondeau et sa sœur, sont arrivées avec de pauvres écharpes.

Valentine est placée devant moi. A chaque instant elle se retourne, inquiète, comme se demandant ce que je lui veux. Et moi, je me sens, près d'elle, presque heureux; je lui réponds chaque fois par un sourire.

Tout autour de nous, il y avait des femmes trop décolletées. Et nous plaisantions. Elle souriait d'abord, puis elle a dit : « Il ne faut pas que je rie. Moi aussi je suis trop décolletée ». Et elle s'est envelop-pée dans son écharpe. En effet, sous le carré de dentelle noire, on voyait que, dans sa hâte à changer de toilette, elle avait refoulé le haut de sa simple chemise montante.

Il y a en elle je ne sais quoi de pauvre et de puéril; il y a dans son regard je ne sais quel air souffrant et hasardeux qui m'attire. Près d'elle, le seul être au monde qui ait pu me renseigner sur les gens du Domaine, je ne cesse de penser à mon étrange aventure de jadis... J'ai voulu l'interroger de nouveau sur le petit hôtel du boulevard. Mais, à son tour, elle m'a posé des questions si gênantes que je n'ai su rien répondre. Je sens que désormais nous serons, tous les deux, muets sur ce sujet. Et pourtant je sais aussi

que je la reverrai. A quoi bon? Et pourquoi?... Suis-je
condamné maintenant à suivre à la trace tout être qui
portera en soi le plus vague, le plus lointain relent
de mon aventure manquée?...

A minuit, seul, dans la rue déserte, je me demande
ce que me veut cette nouvelle et bizarre histoire? Je
marche le long des maisons pareilles à des boîtes en
carton alignées, dans lesquelles tout un peuple dort.
Et je me souviens tout à coup d'une décision que
j'avais prise l'autre mois : j'avais résolu d'aller là-bas
en pleine nuit, vers une heure du matin, de contourner l'hôtel, d'ouvrir la porte du jardin, d'entrer
comme un voleur et de chercher un indice quelconque
qui me permît de retrouver le Domaine perdu, pour
la revoir, seulement la revoir... Mais je suis fatigué.
J'ai faim. Moi aussi je me suis hâté de changer de
costume, avant le théâtre, et je n'ai pas dîné... Agité,
inquiet pourtant, je reste longtemps assis sur le bord
de mon lit, avant de me coucher, en proie à un vague
remords. Pourquoi?

Je note encore ceci : elles n'ont pas voulu ni que
je les reconduise, ni me dire où elles demeuraient.
Mais je les ai suivies aussi longtemps que j'ai pu. Je
sais qu'elles habitent une petite rue qui tourne aux
environs de Notre-Dame. Mais à quel numéro?... J'ai
deviné qu'elles étaient couturières ou modistes.

En se cachant de sa sœur, Valentine m'a donné rendez-vous pour jeudi, à quatre heures, devant le même
théâtre où nous sommes allés.

« Si je n'étais pas là jeudi, a-t-elle dit, revenez
vendredi à la même heure, puis samedi, et ainsi de
suite, tous les jours ».

Jeudi 18 février. — Je suis parti pour l'attendre
dans le grand vent qui charrie de la pluie. On se
disait à chaque instant : il va finir par pleuvoir...

Je marche dans la demi-obscurité des rues, un poids sur le cœur. Il tombe une goutte d'eau. Je crains qu'il ne pleuve : une averse peut l'empêcher de venir. Mais le vent se reprend à souffler et la pluie ne tombe pas cette fois encore. Là-haut, dans le gris après-midi du ciel — tantôt gris et tantôt éclatant — un grand nuage a dû céder au vent. Et je suis ici terré dans une attente misérable...

Devant le théâtre. — Au bout d'un quart d'heure je suis certain qu'elle ne viendra pas. Du quai où je suis, je surveille au loin, sur le pont par lequel elle aurait dû venir, le défilé des gens qui passent. J'accompagne du regard toutes les jeunes femmes en deuil que je vois venir et je me sens presque de la reconnaissance pour celles qui, le plus longtemps, le plus près de moi, lui ont ressemblé et m'ont fait espérer...

Une heure d'attente. — Je suis las. A la tombée de la nuit, un gardien de la paix traîne au poste voisin un voyou qui lui jette d'une voix étouffée toutes les injures, toutes les ordures qu'il sait. L'agent est furieux, pâle, muet... Dès le couloir il commence à cogner, puis il referme sur eux la porte pour battre le misérable tout à l'aise... Il me vient cette pensée affreuse que j'ai renoncé au paradis et que je suis en train de piétiner aux portes de l'enfer.

De guerre lasse, je quitte l'endroit et je gagne cette rue étroite et basse, entre la Seine et Notre-Dame, où je connais à peu près la place de leur maison. Tout seul, je vais et viens. De temps à autre une bonne ou une ménagère sort sous la petite pluie pour faire avant la nuit ses emplettes... Il n'y a rien, ici, pour moi, et je m'en vais... Je repasse, dans la pluie claire qui retarde la nuit, sur la place où nous devions nous attendre. Il y a plus de monde que tout à l'heure — une foule noire...

Suppositions — Désespoir — Fatigue. Je me rac-
croche à cette pensée : demain. Demain, à la même
heure, en ce même endroit, je reviendrai l'attendre.
Et j'ai grand'hâte que demain soit arrivé. Avec ennui
j'imagine la soirée d'aujourd'hui, puis la matinée du
lendemain, que je vais passer dans le désœuvrement...
Mais déjà cette journée n'est-elle pas presque finie ?...
Rentré chez moi, près du feu, j'entends crier les jour-
naux du soir. Sans doute, de sa maison perdue
quelque part dans la ville, auprès de Notre-Dame, elle
les entend aussi.

Elle... je veux dire : Valentine.

Cette soirée que j'avais voulu escamoter me pèse
étrangement. Tandis que l'heure avance, que ce jour-là
va bientôt finir et que déjà je le voudrais fini, il y
a des hommes qui lui ont confié tout leur espoir,
tout leur amour et leurs dernières forces. Il y a des
hommes mourants, d'autres qui attendent une échéance,
et qui voudraient que ce ne soit jamais demain. Il
y en a d'autres pour qui demain pointera comme un
remords. D'autres qui sont fatigués, et cette nuit ne
sera jamais assez longue pour leur donner tout le repos qu'il faudrait. Et moi, moi qui ai perdu ma journée, de quel droit est-ce que j'ose appeler demain ?

Vendredi soir. — J'avais pensé écrire à la suite :
« Je ne l'ai pas revue ». Et tout aurait été fini.

Mais en arrivant ce soir, à quatre heures, au coin
du théâtre : la voici. Fine et grave, vêtue de noir,
mais avec de la poudre au visage et une collerette qui
lui donne l'air d'un pierrot coupable. Un air à la fois
douloureux et malicieux.

C'est pour me dire qu'elle veut me quitter tout de
suite, qu'elle ne viendra plus.

.. ..

Et pourtant, à la tombée de la nuit, nous voici
encore tous les deux, marchant lentement l'un près

de l'autre, sur le gravier des Tuileries. Elle me raconte
son histoire mais d'une façon si enveloppée que je
comprends mal. Elle dit : « mon amant » en parlant
de ce fiancé qu'elle n'a pas épousé. Elle le fait exprès,
je pense, pour me choquer et pour que je ne m'at-
tache point à elle.

Il y a des phrases d'elle que je transcris de mauvaise
grâce :

« N'ayez aucune confiance en moi, dit-elle, je n'ai
jamais fait que des folies.

» J'ai couru les chemins, toute seule.

» J'ai désespéré mon fiancé. Je l'ai abandonné parce
qu'il m'admirait trop; il ne me voyait qu'en imagi-
nation et non point telle que j'étais. Or, je suis pleine
de défauts. Nous aurions été très malheureux ».

A chaque instant, je la surprends en train de se
faire plus mauvaise qu'elle n'est. Je pense qu'elle veut
se prouver à elle-même qu'elle a eu raison jadis de
faire la sottise dont elle parle, qu'elle n'a rien à regret-
ter et n'était pas digne du bonheur qui s'offrait à elle.

Une autre fois :

« Ce qui me plaît en vous, m'a-t-elle dit en me
regardant longuement, ce qui me plaît en vous, je ne
puis savoir pourquoi, ce sont mes souvenirs... »

Une autre fois :

« Je l'aime encore, disait-elle, plus que vous ne pen-
sez ».

Et puis soudain, brusquement, brutalement, tristement :

« Enfin, qu'est-ce que vous voulez? Est-ce que vous
m'aimez, vous aussi? Vous aussi, vous allez me demander ma main?... »

J'ai balbutié. Je ne sais pas ce que j'ai répondu.
Peut-être ai-je dit : « Oui ».

Cette espèce de journal s'interrompait là. Commen

çaient alors des brouillons de lettres illisibles, informes, raturés. Précaires fiançailles !... La jeune fille, sur la prière de Meaulnes, avait abandonné son métier. Lui s'était occupé des préparatifs du mariage. Mais sans cesse repris par le désir de chercher encore, de partir encore sur la trace de son amour perdu, il avait dû, sans doute, plusieurs fois disparaître; et, dans ces lettres, avec un embarras tragique, il cherchait à se justifier devant Valentine.

CHAPITRE XV

Puis le journal reprenait.

Il avait noté des souvenirs sur un séjour qu'ils avaient fait tous les deux à la campagne, je ne sais où. Mais, chose étrange, à partir de cet instant, peut-être par un sentiment de pudeur secrète, le journal était rédigé de façon si hachée, si informe, griffonné si hâtivement aussi, que j'ai dû reprendre moi-même et reconstituer toute cette partie de son histoire.

14 juin. — Lorsqu'il s'éveilla de grand matin dans la chambre de l'auberge, le soleil avait allumé les dessins rouges du rideau noir. Des ouvriers agricoles, dans la salle du bas, parlaient fort en prenant le café du matin : ils s'indignaient, en phrases rudes et paisibles, contre un de leurs patrons. Depuis longtemps sans doute Meaulnes entendait, dans son sommeil, ce calme bruit. Car il n'y prit point garde d'abord. Ce rideau semé de grappes rougies par le soleil, ces voix matinales montant dans la chambre silencieuse, tout cela se confondait dans l'impression unique d'un réveil à la campagne, au début de délicieuses grandes vacances.

Il se leva, frappa doucement à la porte voisine, sans obtenir de réponse, et l'entr'ouvrit sans bruit. Il aperçut alors Valentine et comprit d'où lui venait tant de paisible bonheur. Elle dormait, absolument immobile et silencieuse, sans qu'on l'entendît respirer, comme un oiseau doit dormir. Longtemps il regarda ce visage d'enfant aux yeux fermés, ce visage si quiet qu'on eût souhaité ne l'éveiller et ne le troubler jamais.

Elle ne fit pas d'autre mouvement pour montrer qu'elle ne dormait plus que d'ouvrir les yeux et de regarder.

Dès qu'elle fut habillée, Meaulnes revint près de la jeune fille.

« Nous sommes en retard », dit-elle.

Et ce fut aussitôt comme une ménagère dans sa demeure.

Elle mit de l'ordre dans les chambres, brossa les habits que Meaulnes avait portés la veille et quand elle en vint au pantalon se désola. Le bas des jambes était couvert d'une boue épaisse. Elle hésita, puis, soigneusement, avec précaution, avant de le brosser, elle commença par râper la première épaisseur de terre avec un couteau.

« C'est ainsi, dit Meaulnes, que faisaient les gamins de Sainte-Agathe quand ils s'étaient flanqués dans la boue.

— Moi, c'est ma mère qui m'a enseigné cela », dit Valentine.

... Et telle était bien la compagne que devait souhaiter, avant son aventure mystérieuse, le chasseur et le paysan qu'était le grand Meaulnes.

15 juin. — A ce dîner, à la ferme où, grâce à leurs amis qui les avaient présentés comme mari et femme, ils furent conviés, à leur grand ennui, elle se montra timide comme une nouvelle mariée.

On avait allumé les bougies de deux candélabres, à chaque bout de la table couverte de toile blanche, comme à une paisible noce de campagne. Les visages, dès qu'ils se penchaient, sous cette faible clarté, baignaient dans l'ombre.

Il y avait à la droite de Patrice (le fils du fermier) Valentine puis Meaulnes, qui demeura taciturne jusqu'au bout, bien qu'on s'adressât presque toujours à lui. Depuis qu'il avait résolu, dans ce village perdu, afin d'éviter les commentaires, de faire passer Valentine pour sa femme, un même regret, un même remords le désolaient. Et tandis que Patrice, à la façon d'un gentilhomme campagnard, dirigeait le dîner :

« C'est moi, pensait Meaulnes, qui devrais, ce soir, dans une salle basse comme celle-ci, une belle salle que je connais bien, présider le repas de mes noces ».

Près de lui, Valentine refusait timidement tout ce qu'on lui offrait. On eût dit une jeune paysanne. A chaque tentative nouvelle, elle regardait son ami et semblait vouloir se réfugier contre lui. Depuis longtemps, Patrice insistait vainement pour qu'elle vidât son verre, lorsqu'enfin Meaulnes se pencha vers elle et lui dit doucement :

« Il faut boire, ma petite Valentine ».

Alors, docilement, elle but. Et Patrice félicita en souriant le jeune homme d'avoir une femme aussi obéissante.

Mais tous les deux, Valentine et Meaulnes, restaient silencieux et pensifs. Ils étaient fatigués, d'abord; leurs pieds trempés par la boue de la promenade étaient glacés sur les carreaux lavés de la cuisine. Puis de temps à autre, le jeune homme était obligé de dire :

« Ma femme, Valentine, ma femme... »

Et chaque fois, en prononçant sourdement ce mot, devant ces paysans inconnus, dans cette salle obscure, il avait l'impression de commettre une faute.

17 juin. — L'après-midi de ce dernier jour commença mal.

Patrice et sa femme les accompagnèrent à la promenade. Peu à peu, sur la pente inégale couverte de bruyères, les deux couples se trouvèrent séparés

Meaulnes et Valentine s'assirent entre les genévriers,
dans un petit taillis.

Le vent portait des gouttes de pluie et le temps
était bas. La soirée avait un goût amer, semblait-il,
le goût d'un tel ennui que l'amour même ne le pouvait distraire.

Longtemps ils restèrent là, dans leur cachette, abrités sous les branches, parlant peu. Puis le temps se
leva. Il fit beau. Ils crurent que, maintenant, tout
irait bien.

Et ils commencèrent à parler d'amour, Valentine parlait, parlait...

« Voici, disait-elle, ce que me promettait mon
fiancé, comme un enfant qu'il était : tout de suite
nous aurions eu une maison, comme une chaumière
perdue dans la campagne. Elle était toute prête,
disait-il. Nous y serions arrivés comme au retour d'un
grand voyage, le soir de notre mariage, vers cette
heure-ci qui est proche de la nuit. Et par les chemins,
dans la cour, cachés dans les bosquets, des enfants
inconnus nous auraient fait fête, criant : « Vive la
mariée ! »... Quelles folies ! n'est-ce pas ? »

Meaulnes, interdit, soucieux, l'écoutait. Il retrou-
vait, dans tout cela, comme l'écho d'une voix déjà
entendue. Et il y avait aussi, dans le ton de la jeune
fille, lorsqu'elle contait cette histoire, un vague regret.

Mais elle eut peur de l'avoir blessé. Elle se retourna
vers lui, avec élan, avec douceur.

« A vous, dit-elle, je veux donner tout ce que j'ai :
quelque chose qui ait été pour moi plus précieux que
tout..., et vous le brûlerez ! »

Alors, en le regardant fixement, d'un air anxieux,
elle sortit de sa poche un petit paquet de lettres
qu'elle lui tendit, les lettres de son fiancé.

Ah ! tout de suite, il reconnut la fine écriture. Comment n'y avait-il jamais pensé plus tôt ! C'était l'écriture de Frantz le bohémien, qu'il avait vue jadis sur
le billet désespéré laissé dans la chambre du Domaine...

Ils marchaient maintenant sur une petite route étroite entre les pâquerettes et les foins éclairés obliquement par le soleil de cinq heures. Si grande était sa stupeur que Meaulnes ne comprenait pas encore quelle déroute pour lui tout cela signifiait. Il lisait parce qu'elle lui avait demandé de lire. Des phrases enfantines, sentimentales, pathétiques... Celle-ci, dans la dernière lettre :

... Ah! vous avez perdu le petit cœur, impardonnable petite Valentine. Que va-t-il nous arriver? Enfin je ne suis pas superstitieux...

Meaulnes lisait, à demi aveuglé de regret et de colère, le visage immobile, mais tout pâle, avec des frémissements sous les yeux. Valentine, inquiète de le voir ainsi, regarda où il en était, et ce qui le fâchait ainsi.

« C'est, expliqua-t-elle très vite, un bijou qu'il m'avait donné en me faisant jurer de le garder toujours. C'étaient là de ses idées folles ».

Mais elle ne fit qu'exaspérer Meaulnes.

« Folles! dit-il en mettant les lettres dans sa poche. Pourquoi répéter ce mot? Pourquoi n'avoir jamais voulu croire en lui? Je l'ai connu, c'était le garçon le plus merveilleux du monde!

— Vous l'avez connu, dit-elle au comble de l'émoi, vous avez connu Frantz de Galais?

— C'était mon ami le meilleur, c'était mon frère d'aventures, et voilà que je lui ai pris sa fiancée!

« Ah! poursuivit-il avec fureur, quel mal vous nous avez fait, vous qui n'avez voulu croire à rien. Vous êtes cause de tout. C'est vous qui avez tout perdu! tout perdu! »

Elle voulut lui parler, lui prendre la main, mais il la repoussa brutalement.

« Allez-vous-en. Laissez-moi.

— Eh bien, s'il en est ainsi, dit-elle, le visage en feu, bégayant et pleurant à demi, je partirai en effet. Je rentrerai à Bourges, chez nous, avec ma sœur. Et si vous ne revenez pas me chercher, vous savez, n'est-ce pas? que mon père est trop pauvre pour me garder; eh bien! je repartirai pour Paris, je battrai les chemins comme je l'ai déjà fait une fois, je deviendrai certainement une fille perdue, moi qui n'ai plus de métier... »

Et elle s'en alla chercher ses paquets pour prendre le train, tandis que Meaulnes, sans même la regarder partir, continuait à marcher au hasard.

Le journal s'interrompait de nouveau.

Suivaient encore des brouillons de lettres, lettres d'un homme indécis, égaré. Rentré à La Ferté-d'Angillon, Meaulnes écrivait à Valentine en apparence pour lui affirmer sa résolution de ne jamais la revoir et lui en donner des raisons précises, mais en réalité, peut-être, pour qu'elle lui répondît. Dans une de ces lettres, il lui demandait ce que, dans son désarroi, il n'avait pas même songé d'abord à lui demander : savait-elle où se trouvait le Domaine tant cherché? Dans une autre, il la suppliait de se réconcilier avec Frantz de Galais. Lui-même se chargeait de le retrouver... Toutes les lettres dont je voyais les brouillons n'avaient pas dû être envoyées. Mais il avait dû écrire deux ou trois fois, sans jamais obtenir de réponse. Ç'avait été pour lui une période de combats affreux et misérables, dans un isolement absolu. L'espoir de revoir jamais Yvonne de Galais s'étant complètement évanoui, il avait dû peu à peu sentir sa grande résolution faiblir. Et d'après les pages qui vont suivre — les dernières de son journal — j'imagine qu'il dut, un beau matin du début des vacances, louer une bicyclette pour aller à Bourges, visiter la cathédrale.

Il était parti à la première heure, par la belle route droite entre les bois, inventant en chemin mille prétextes à se présenter dignement, sans demander une réconciliation, devant celle qu'il avait chassée.

Les quatre dernières pages, que j'ai pu reconstituer, racontaient ce voyage et cette dernière faute...

CHAPITRE XVI

LE SECRET (*fin*)

25 août. — De l'autre côté de Bourges, à l'extrémité des nouveaux faubourgs, il découvrit, après avoir longtemps cherché, la maison de Valentine Blondeau. Une femme — la mère de Valentine — sur le pas de la porte, semblait l'attendre. C'était une bonne figure de ménagère, lourde, fripée, mais belle encore. Elle le regardait venir avec curiosité, et lorsqu'il lui demanda : « si Mlles Blondeau étaient ici », elle lui expliqua doucement, avec bienveillance, qu'elles étaient rentrées à Paris depuis le 15 août.

« Elles m'ont défendu de dire où elles allaient, ajouta-t-elle, mais en écrivant à leur ancienne adresse on fera suivre leurs lettres ».

En revenant sur ses pas, sa bicyclette à la main, à travers le jardinet, il pensait :

« Elle est partie... Tout est fini comme je l'ai voulu... C'est moi qui l'ai forcée à cela. « Je deviendrai certainement une fille perdue », disait-elle. Et c'est moi qui l'ai jetée là ! C'est moi qui ai perdu la fiancée de Frantz ! »

Et tout bas il se répétait avec folie : « Tant mieux ! Tant mieux ! » avec la certitude que c'était bien « tant pis » au contraire et que, sous les yeux de cette femme, avant d'arriver à la grille, il allait buter des deux pieds et tomber sur les genoux.

Il ne pensa pas à déjeuner et s'arrêta dans un café où il écrivit longuement à Valentine, rien que pour crier, pour se délivrer du cri désespéré qui l'étouffait. Sa lettre répétait indéfiniment : « Vous avez pu ! Vous avez pu !... Vous avez pu vous résigner à cela ! Vous avez pu vous perdre ainsi ! »

Près de lui des officiers buvaient. L'un d'eux racontait bruyamment une histoire de femme qu'on entendait par bribes : « ... Je lui ai dit... Vous devez bien me connaître... Je fais la partie avec votre mari tous les soirs ! » Les autres riaient et, détournant la tête, crachaient derrière les banquettes. Hâve et poussiéreux, Meaulnes les regardait comme un mendiant. Il les imagina tenant Valentine sur leurs genoux.

Longtemps, à bicyclette, il erra autour de la cathédrale, se disant obscurément : « En somme, c'est pour la cathédrale que j'étais venu ». Au bout de toutes les rues, sur la place déserte, on la voyait monter énorme et indifférente. Ces rues étaient étroites et souillées comme les ruelles qui entourent les églises de village. Il y avait çà et là l'enseigne d'une maison louche, une lanterne rouge... Meaulnes sentait sa douleur perdue, dans ce quartier malpropre, vicieux, réfugié, comme aux anciens âges, sous les arcs-boutants de la cathédrale. Il lui venait une crainte de paysan, une répulsion pour cette église de la ville, où tous les vices sont sculptés dans des cachettes, qui est bâtie entre les mauvais lieux et qui n'a pas de remède pour les plus pures douleurs d'amour.

Deux filles vinrent à passer, se tenant par la taille et le regardant effrontément. Par dégoût ou par jeu, pour se venger de son amour ou pour l'abîmer, Meaulnes les suivit lentement à bicyclette et l'une d'elles, une misérable fille dont les rares cheveux blonds étaient tirés en arrière par un faux chignon, lui donna rendez-vous pour six heures au jardin de l'Archevêché, le jardin où Frantz, dans une de ses lettres, donnait rendez-vous à la pauvre Valentine.

Il ne dit pas non, sachant qu'à cette heure il aurait depuis longtemps quitté la ville. Et de sa fenêtre basse, dans la rue en pente, elle resta longtemps à lui faire des signes vagues.

Il avait hâte de reprendre son chemin.

Avant de partir, il ne put résister au morne désir de passer une dernière fois devant la maison de Valentine. Il regarda de tous ses yeux et put faire provision de tristesse. C'était une des dernières maisons du faubourg et la rue devenait une route à partir de cet endroit... En face, une sorte de terrain vague formait comme une petite place. Il n'y avait personne aux fenêtres, ni dans la cour, nulle part. Seule, le long d'un mur, traînant deux gamins en guenilles, une sale fille poudrée passa.

C'est là que l'enfance de Valentine s'était écoulée, là qu'elle avait commencé à regarder le monde de ses yeux confiants et sages. Elle avait travaillé, cousu, derrière ces fenêtres. Et Frantz était passé pour la voir, lui sourire, dans cette rue de faubourg. Mais maintenant il n'y avait plus rien, rien... La triste soirée durait et Meaulnes savait seulement que quelque part, perdue, durant ce même après-midi, Valentine regardait passer dans son souvenir cette place morne où jamais elle ne viendrait plus.

Le long voyage qu'il lui restait à faire pour rentrer devait être son dernier recours contre sa peine, sa dernière distraction forcée avant de s'y enfoncer tout entier.

Il partit. Aux environs de la route, dans la vallée, de délicieuses maisons fermières, entre les arbres, au bord de l'eau, montraient leurs pignons pointus garnis de treillis verts. Sans doute, là-bas, sur les pelouses, des jeunes filles attentives parlaient de l'amour. On imaginait, là-bas, des âmes, de belles âmes...

Mais, pour Meaulnes, à ce moment, il n'existait plus qu'un seul amour, cet amour mal satisfait qu'on venait de souffleter si cruellement, et la jeune fille entre toutes qu'il eût dû protéger, sauvegarder, était justement celle-là qu'il venait d'envoyer à sa perte.

Quelques lignes hâtives du journal m'apprenaient encore qu'il avait formé le projet de retrouver Valentine coûte que coûte avant qu'il fût trop tard. Une date, dans un coin de page, me faisait croire que c'était là ce long voyage pour lequel Mme Meaulnes faisait des préparatifs, lorsque j'étais venu à La Ferté-d'Angillon pour tout déranger. Dans la mairie abandonnée, Meaulnes notait ses souvenirs et ses projets par un beau matin de la fin du mois d'août — lorsque j'avais poussé la porte et lui avais apporté la grande nouvelle qu'il n'attendait plus. Il avait été repris, immobilisé, par son ancienne aventure, sans oser rien faire ni rien avouer. Alors avaient commencé le remords, le regret et la peine, tantôt étouffés, tantôt triomphants, jusqu'au jour des noces où le cri du bohémien dans les sapins lui avait théâtralement rappelé son premier serment de jeune homme.

Sur ce même cahier de devoirs mensuels, il avait encore griffonné quelques mots en hâte, à l'aube, avant de quitter, avec sa permission, — mais pour toujours — Yvonne de Galais, son épouse depuis la veille :

« Je pars. Il faudra bien que je retrouve la piste des deux bohémiens qui sont venus hier dans la sapinière et qui sont partis vers l'est à bicyclette. Je ne reviendrai près d'Yvonne que si je puis ramener avec moi et installer dans la « maison de Frantz » Frantz et Valentine mariés.

« Ce manuscrit, que j'avais commencé comme un journal secret et qui est devenu ma confession, sera, si je ne reviens pas, la propriété de mon ami François Seurel ».

Il avait dû glisser le cahier en hâte sous les autres, refermer à clef son ancienne petite malle d'étudiant, et disparaître.

ÉPILOGUE

LE temps passa. Je perdais l'espoir de revoir jamais mon compagnon, et de mornes jours s'écoulaient dans l'école paysanne, de tristes jours dans la maison déserte. Frantz ne vint pas au rendez-vous que je lui avais fixé, et d'ailleurs ma tante Moinel ne savait plus depuis longtemps où habitait Valentine.

La seule joie des Sablonnières, ce fut bientôt la petite fille qu'on avait pu sauver. A la fin de septembre, elle s'annonçait même comme une solide et jolie petite fille. Elle allait avoir un an. Cramponnée aux barreaux des chaises, elle les poussait toute seule, s'essayant à marcher sans prendre garde aux chutes, et faisait un tintamarre qui réveillait longuement les échos sourds de la demeure abandonnée. Lorsque je la tenais dans mes bras. elle ne souffrait jamais que je lui donne un baiser. Elle avait une façon sauvage et charmante en même temps de frétiller et de me repousser la figure avec sa petite main ouverte, en riant aux éclats. De toute sa gaieté, de toute sa violence enfantine, on eût dit qu'elle allait chasser le chagrin qui pesait sur la maison depuis sa naissance. Je me disais parfois : « Sans doute, malgré cette sauvagerie, sera-t-elle un peu mon enfant ». Mais une fois encore la Providence en décida autrement.

Un dimanche matin de la fin de septembre, je m'étais levé de fort bonne heure, avant même la paysanne qui avait la garde de la petite fille. Je devais aller pêcher au Cher avec deux hommes de Saint-Benoist et Jasmin Delouche. Souvent ainsi les villageois d'alentour s'entendaient avec moi pour de grandes parties de braconnage : pêches à la main, la nuit, pêches aux éperviers prohibés... Tout le temps de l'été. nous partions les jours de congé, dès l'aube, et nous ne rentrions qu'à midi. C'était le gagne-pain de presque tous ces hommes. Quant à moi, c'était mon seul passe-temps, les seules aventures qui me rappelassent les équipées de jadis. Et j'avais fini par prendre goût à ces randonnées, à ces longues pêches le long de la rivière ou dans les roseaux de l'étang.

Ce matin-là, j'étais donc debout, à cinq heures et demie, devant la maison, sous un petit hangar adossé au mur qui séparait le jardin anglais des Sablonnières du jardin potager de la ferme. J'étais occupé à démêler mes filets que j'avais jetés en tas, le jeudi d'avant.

Il ne faisait pas jour tout à fait; c'était le crépuscule d'un beau matin de septembre; et le hangar où je démêlais à la hâte mes engins se trouvait à demi plongé dans la nuit.

J'étais là silencieux et affairé lorsque soudain j'entendis la grille s'ouvrir, un pas crier sur le gravier.

« Oh! oh! me dis-je, voici mes gens plus tôt que je n'aurais cru. Et moi qui ne suis pas prêt !... »

Mais l'homme qui entrait dans la cour m'était inconnu. C'était. autant que je pus distinguer, un grand gaillard barbu habillé comme un chasseur ou un braconnier. Au lieu de venir me trouver là où les autres savaient que j'étais toujours, à l'heure de nos rendez-vous, il gagna directement la porte d'entrée.

« Bon! pensai-je; c'est quelqu'un de leurs amis qu'ils auront convié sans me le dire et ils l'auront envoyé en éclaireur ».

L'homme fit jouer doucement, sans bruit, le loquet de la porte. Mais je l'avais refermée, aussitôt sorti. Il fit de même à l'entrée de la cuisine. Puis, hésitant un instant, il tourna vers moi, éclairée par le demi-jour, sa figure inquiète. Et c'est alors seulement que je reconnus le grand Meaulnes.

Un long moment je restai là, effrayé, désespéré, repris soudain par toute la douleur qu'avait réveillée son retour. Il avait disparu derrière la maison, en avait fait le tour, et il revenait, hésitant.

Alors je m'avançai vers lui, et sans rien dire, je l'embrassai en sanglotant. Tout de suite, il comprit :

« Ah! dit-il d'une voix brève, elle est morte, n'est-ce pas ? »

Et il resta là, debout, sourd, immobile et terrible. Je le pris par le bras et doucement je l'entraînai vers la maison. Il faisait jour maintenant. Tout de suite, pour que le plus dur fût accompli, je lui fis monter l'escalier qui menait vers la chambre de la morte. Sitôt entré, il tomba à deux genoux devant le lit et, longtemps, resta la tête enfouie dans ses deux bras.

Il se releva enfin, les yeux égarés, titubant, ne sachant où il était. Et, toujours le guidant par le bras, j'ouvris la porte qui faisait communiquer cette chambre avec celle de la petite fille. Elle s'était éveillée toute seule — pendant que sa nourrice était en bas — et, délibérément, s'était assise dans son berceau. On voyait tout juste sa tête étonnée, tournée vers nous.

« Voici ta fille », dis-je.

Il eut un sursaut et me regarda.

Puis il la saisit et l'enleva dans ses bras. Il ne put pas bien la voir d'abord, parce qu'il pleurait. Alors, pour détourner un peu ce grand attendrissement et ce flot de larmes, tout en la tenant très serrée contre lui, assise sur son bras droit, il tourna vers moi sa tête baissée et me dit :

« Je les ai ramenés, les deux autres... Tu iras les voir dans leur maison »

Et en effet, au début de la matinée, lorsque je m'en allai, tout pensif et presque heureux vers la maison de Frantz qu'Yvonne de Galais m'avait jadis montrée déserte, j'aperçus de loin une manière de jeune ménagère en collerette, qui balayait le pas de sa porte, objet de curiosité et d'enthousiasme pour plusieurs petits vachers endimanchés qui s'en allaient à la messe...

Cependant la petite fille commençait à s'ennuyer d'être serrée ainsi, et comme Augustin, la tête penchée de côté pour cacher et arrêter ses larmes continuait à ne pas la regarder, elle lui flanqua une grande tape de sa petite main sur sa bouche barbue et mouillée.

Cette fois le père leva bien haut sa fille, la fit sauter au bout de ses bras et la regarda avec une espèce de rire. Satisfaite, elle battit des mains...

Je m'étais légèrement reculé pour mieux les voir. Un peu déçu et pourtant émerveillé, je comprenais que la petite fille avait enfin trouvé là le compagnon qu'elle attendait obscurément. La seule joie que m'eût laissée le grand Meaulnes, je sentais bien qu'il était revenu pour me la prendre. Et déjà je l'imaginais, la nuit, enveloppant sa fille dans un manteau, et partant avec elle pour de nouvelles aventures.

TABLE

BRODARD ET TAUPIN — IMPRIMEUR - RELIEUR
Paris-Coulommiers. — France.
05.751-V-4-0661 - Dépôt légal n° 4339, 2ᵉ trimestre 1965.
LE LIVRE DE POCHE - 4, rue de Galliéra, Paris.

LE LIVRE DE POCHE
CLASSIQUE

RIMBAUD
498 Poésies complètes.

RONSARD
1242-43 Les Amours.

J.-J. ROUSSEAU
1098-99 Confessions, tome I.
1100-01 Confessions, tome II.

SHAKESPEARE
485-486 Trois Comédies.
1265-66 Hamlet-Othello-Macbeth.

SOPHOCLE
1369-70 Tragédies.

STENDHAL
357-358 Le Rouge et le Noir.
562-63-64 Lucien Leuwen.
766-767 Lamiel suivi de Armance.
851-852 La Chartreuse de Parme.
1271-72 Chroniques Italiennes.

STEVENSON
756 L'Ile au Trésor.

SUÉTONE
718-719 Vies des douze Césars.

SWIFT
471 Instructions aux Domestiques.
1302-03 Voyages de Gulliver.

TACITE
1112-13 Histoires.

TCHEKHOV
1090 La Cerisaie suivi de La Mouette.

TOLSTOI
366 La Sonate à Kreutzer suivi de La Mort d'Ivan Ilitch.
636-637 Anna Karénine, tome I.
638-639 Anna Karénine, tome II.
727 Enfance et adolescence.
1016-17-18 La Guerre et la Paix tome I.
1019-20-21 La Guerre et la Paix, tome II.

TOURGUENIEV
497 Premier Amour.

J. VALLÈS
1038-39 L'Enfant.
1200-01 Le Bachelier.
1244-45 L'Insurgé.

VERLAINE
747 Poèmes saturniens suivi de Fêtes galantes.
1116 La Bonne chanson. Romances sans paroles. Sagesse.
1154 Jadis et Naguère. Parallèlement.

VILLON
1216 Poésies cornplètes.

VOLTAIRE
657-658 Romans.

VOLUMES PARUS et A PARAITRE DANS LE 1er SEMESTRE 1965

BALZAC
Eugénie Grandet.
Le Lys dans la vallée.

CÉSAR
La Guerre des Gaules.

CORNEILLE
Théâtre, tome II.

VICTOR HUGO
Les Contemplations.

LA BRUYÈRE
Les Caractères.

MÉRIMÉE
Carmen.

MONTAIGNE
Essais, tome I.
Essais, tome II.
Essais, tome III.

MUSSET
Théâtre, tome III.

TCHEKHOV
Oncle Vania suivi de Les trois sœurs.

TOLSTOI
Les Cosaques.

CLASSIQUES
DE POCHE RELIÉS

Les œuvres des grands auteurs classiques, dans le texte intégral et présentés par les meilleurs écrivains contemporains.
Une présentation particulièrement soignée, format 17,5 × 11,5, reliure de luxe pleine toile, titre or, fers spéciaux, tranchefile, gardes illustrées, sous rodhoid transparent.

BALZAC
- S. Une ténébreuse affaire.
- D. Le cousin Pons.
- D. La cousine Bette.
- D. Le père Goriot.
- D. La Rabouilleuse.
- D. Les Chouans.
- S. La duchesse de Langeais.
- S. Le colonel Chabert.
- D. La Vieille Fille *suivi de* Le Cabinet des Antiques.

BAUDELAIRE
- S. Les Fleurs du Mal.
- S. Le Spleen de Paris.
- S. Les Paradis artificiels.

CHODERLOS DE LACLOS
- D. Les Liaisons dangereuses.

DOSTOIEVSKI
- S. L'Éternel Mari.
- D. L'Idiot, tome I.
- D. L'Idiot, tome II.
- S. Le Joueur.
- D. Crime et Châtiment, tome I.
- D. Crime et Châtiment, tome II.

DUCASSE (Lautréamont)
- D. Œuvres complètes (Les Chants de Maldoror).

FLAUBERT
- D. Madame Bovary.

GOGOL
- D. Les âmes mortes.

HOMÈRE
- D. Odyssée.

VICTOR HUGO
- D. Les Misérables, tome I.
- D. Les Misérables, tome II.
- D. Les Misérables, tome III.

LA FONTAINE
- D. Fables.

MACHIAVEL
- S. Le Prince.

MARY
- S. Tristan et Iseut.

MÉRIMÉE
- D. Colomba.

MUSSET
- D. Théâtre, tome I.

NERVAL
- S. Poésies.

NIETZSCHE
- D. Ainsi parlait Zarathoustra.

OVIDE
- S. L'art d'aimer.

PASCAL
- D. Pensées.

POE
- D. Histoires extraordinaires.
- S. Nouvelles histoires extraordinaires.

ABBÉ PRÉVOST
- S. Manon Lescaut.

RABELAIS
- D. Pantagruel.

RIMBAUD
- S. Poésies complètes.

RONSARD
D. Les Amours.

SHAKESPEARE
D. Hamlet-Othello-Mac-beth.

SOPHOCLE
D. Tragédies.

STENDHAL
D. La Chartreuse de Parme.
D. Le Rouge et le Noir.

SUÉTONE
D. Vies des douze Césars.

TACITE
D. Histoires.

TOLSTOI
D. Anna Karénine, tome I.
D. Anna Karénine, tome II.
S. La sonate à Kreutzer.
S. Enfance et adolescence.

VERLAINE
S. Poèmes saturniens. Fêtes galantes.
S. Jadis et Naguère. Parallèlement.

VILLON
S. Poésies complètes.

VOLUMES PARUS ET A PARAITRE DANS LE Ier SEMESTRE 1965

BALZAC
S. Eugénie Grandet.
D. Le Lys dans la vallée.

MONTAIGNE
D. Essais, tome I.
D. Essais, tome II.
D. Essais, tome III.

MUSSET
D. Théâtre, tome II.
D. Théâtre, tome III.

TCHEHKOV
S. Oncle Vania suivi de Les trois sœurs.

TOLSTOI
S. Les Cosaques.

S. (Volume simple) 3,90 F taxe locale incluse.
D. (Volume double) 4,90 F taxe locale incluse.

LE LIVRE DE POCHE
HISTORIQUE

A PARAITRE DANS LE 1er SEMESTRE 1965